Jesus

Mein Bibel-Bilderbuch

Illustriert von Gaëtan Evrard

Verlag Katholisches Bibelwerk
Verlag Junge Gemeinde

Inhalt

Jesus wird geboren

Sterndeuter suchen Jesus

Jesus beruft Jünger

Jesus besänftigt einen Sturm

Jesus liebt die Kinder

Jesus ruft Zachäus

Ein weites Herz haben

Offene Augen haben

Jesus schenkt sein Leben

Jesus lebt

Zu diesem Buch

Die Bildgeschichten von Jesus prägen sich leicht ein und können dich ein paar Jahre begleiten. Du kannst sie einfach anschauen, dir dazu vorlesen lassen oder auch selbst lesen, wenn du es schon kannst. Wenn du mehr über Jesus erfahren willst, kannst du dir von deinen Eltern eine Bibel zeigen lassen. Das ist ein ganz dickes Buch, in dem nicht nur von Jesus erzählt wird, sondern auch von seinem Volk, den Juden. Dieses Volk hat eine lange Weggeschichte mit Gott hinter sich, spannend zu lesen. Wie ein roter Faden zieht sich durch alle Zeit hindurch: Gott ist uns Menschen nah, er ist treu, auf ihn kannst auch du dich verlassen. Später wirst du die Bibel immer mehr kennen lernen. Sie kann dich ein Leben lang begleiten. Nicht nur als Buch im Schrank, sondern vor allem als Leitfaden für dein Leben: Bleib, wer du bist, aber lass dich immer wieder auch verändern, von Gott und seinem Boten Jesus.

Jesus wird geboren

Ganz viele Menschen kennen Jesus. Sein Leben hat viele Menschen verändert. Er war wie du und ich und doch ganz anders. Schon bei seiner Geburt sollen sich wundersame Dinge ereignet haben. Der Evangelist Lukas erzählt davon.

Befehl des Kaisers Augustus: Jeder muss in die Stadt gehen, in der er geboren wurde. Dort muss er sich melden.

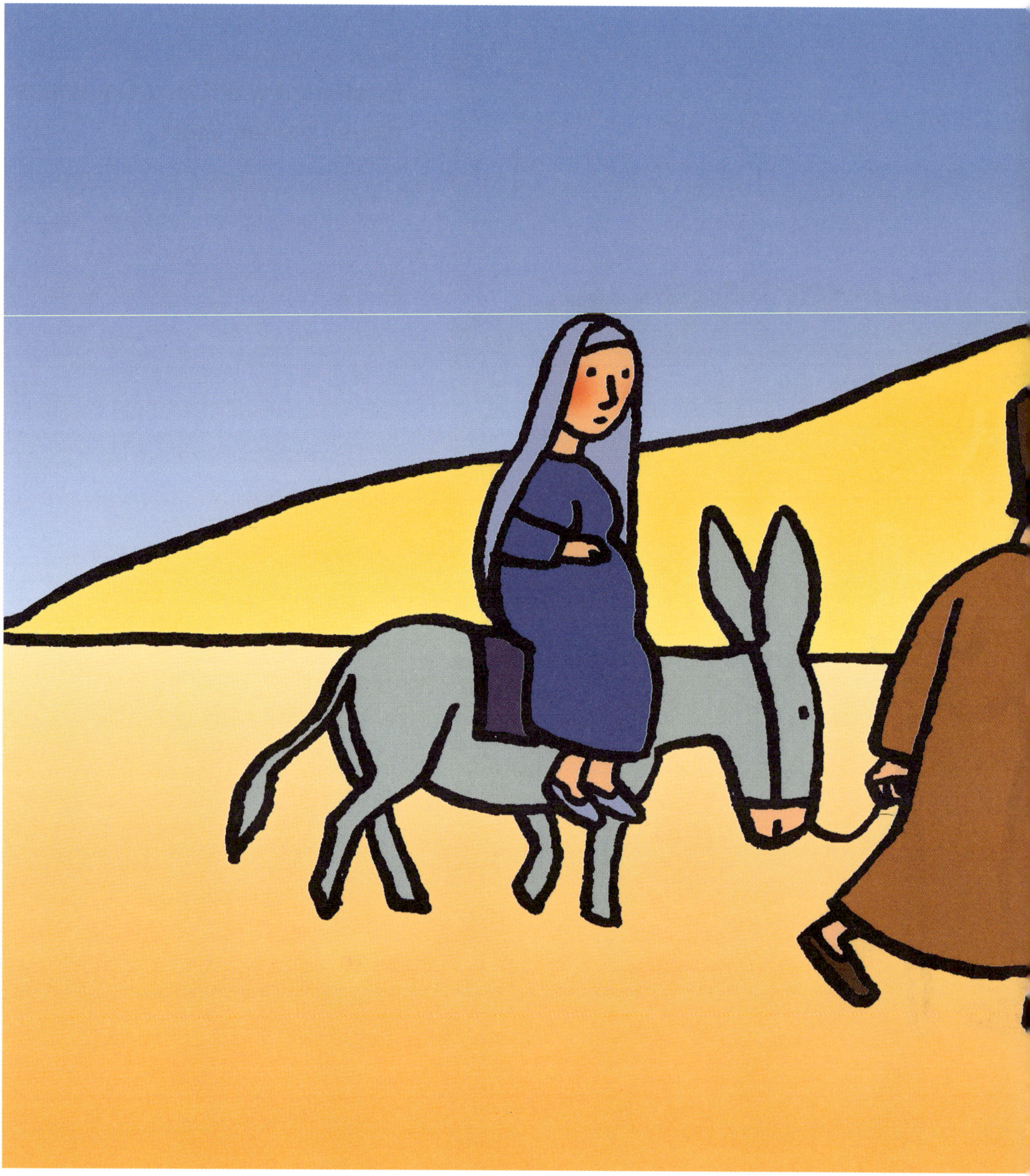

So zieht Josef mit Maria nach Betlehem.
Er stammt wie König David aus dieser kleinen Stadt.

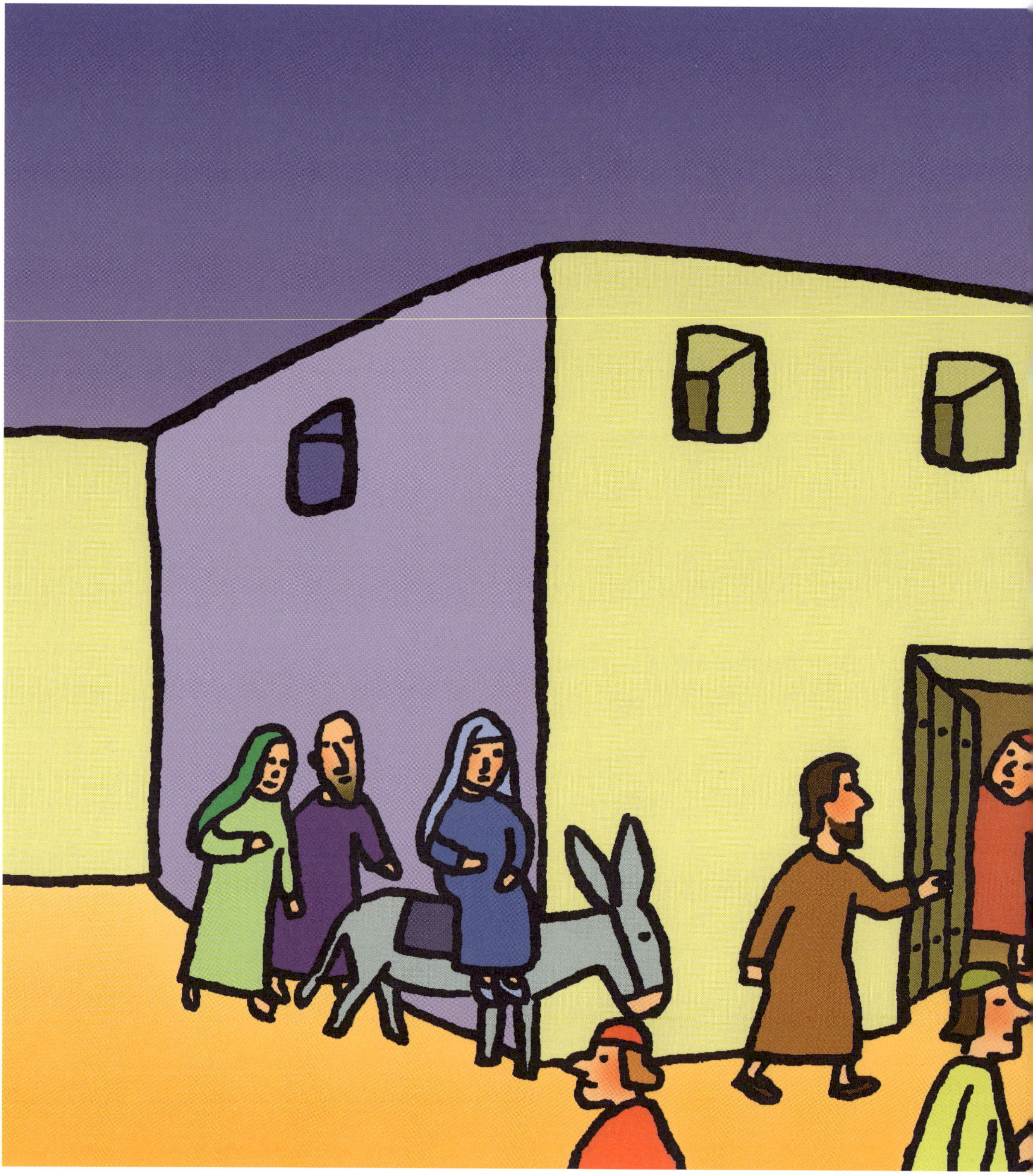

Maria erwartet ein Kind.
Aber alle Herbergen sind
überfüllt.

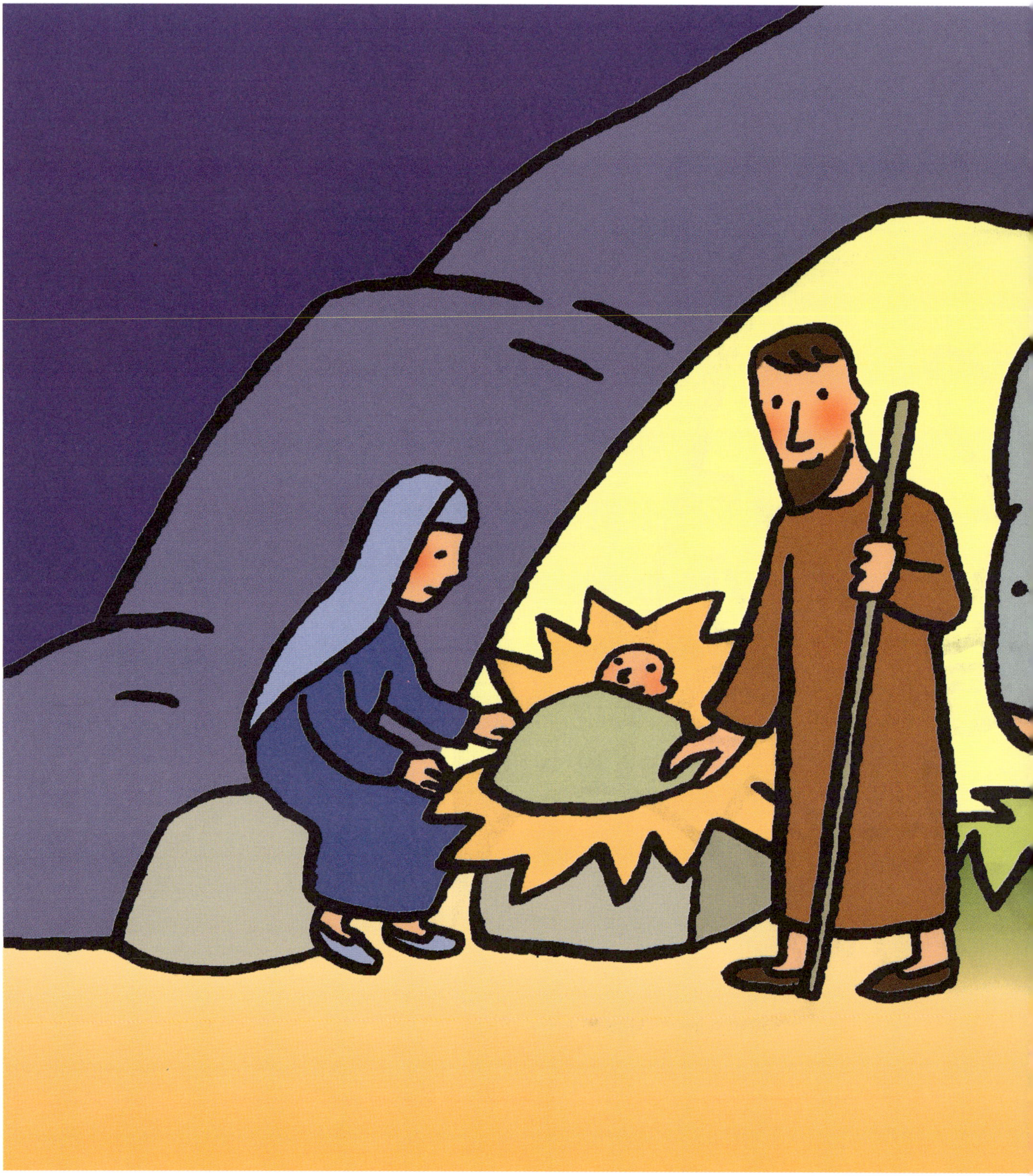

Maria und Josef finden Platz in einem Stall.
Dort kommt ihr Kind zur Welt: Jesus.

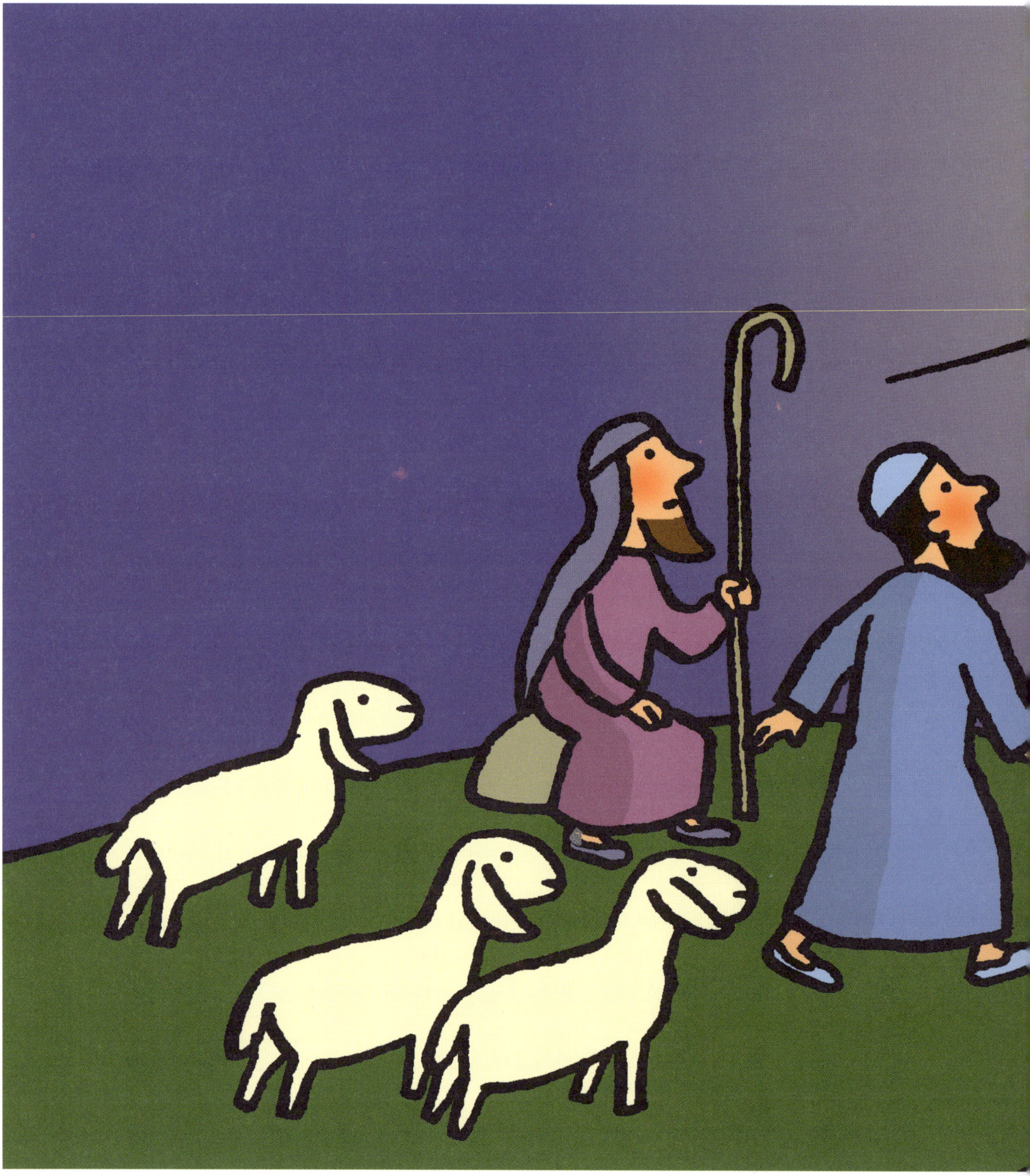

In der Nähe lagern Hirten.
Plötzlich hören sie eine
Stimme: Heute wurde euch der
Retter geboren.

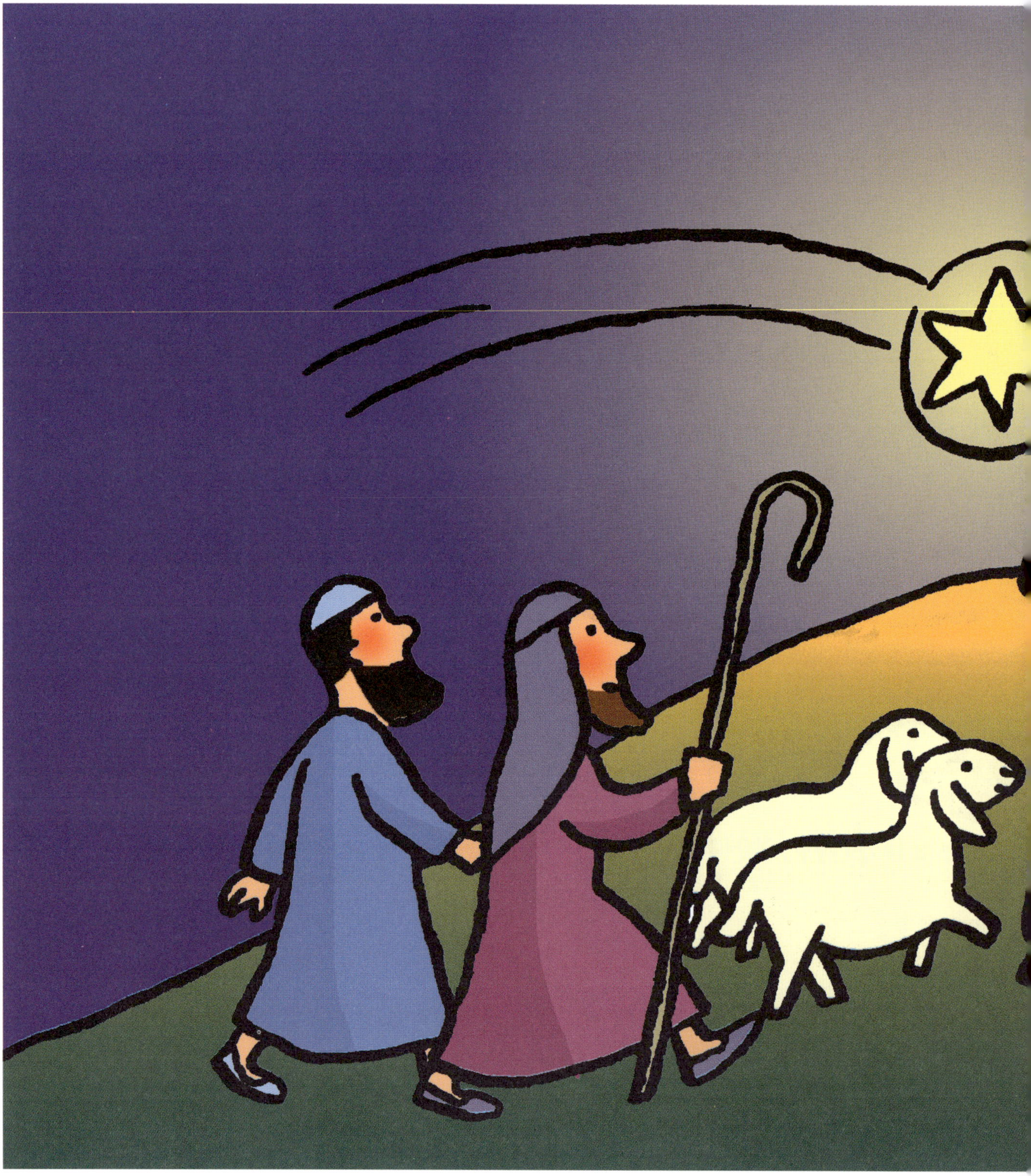

Die Hirten folgen dem Licht und finden Maria und Josef und das Kind in der Krippe.

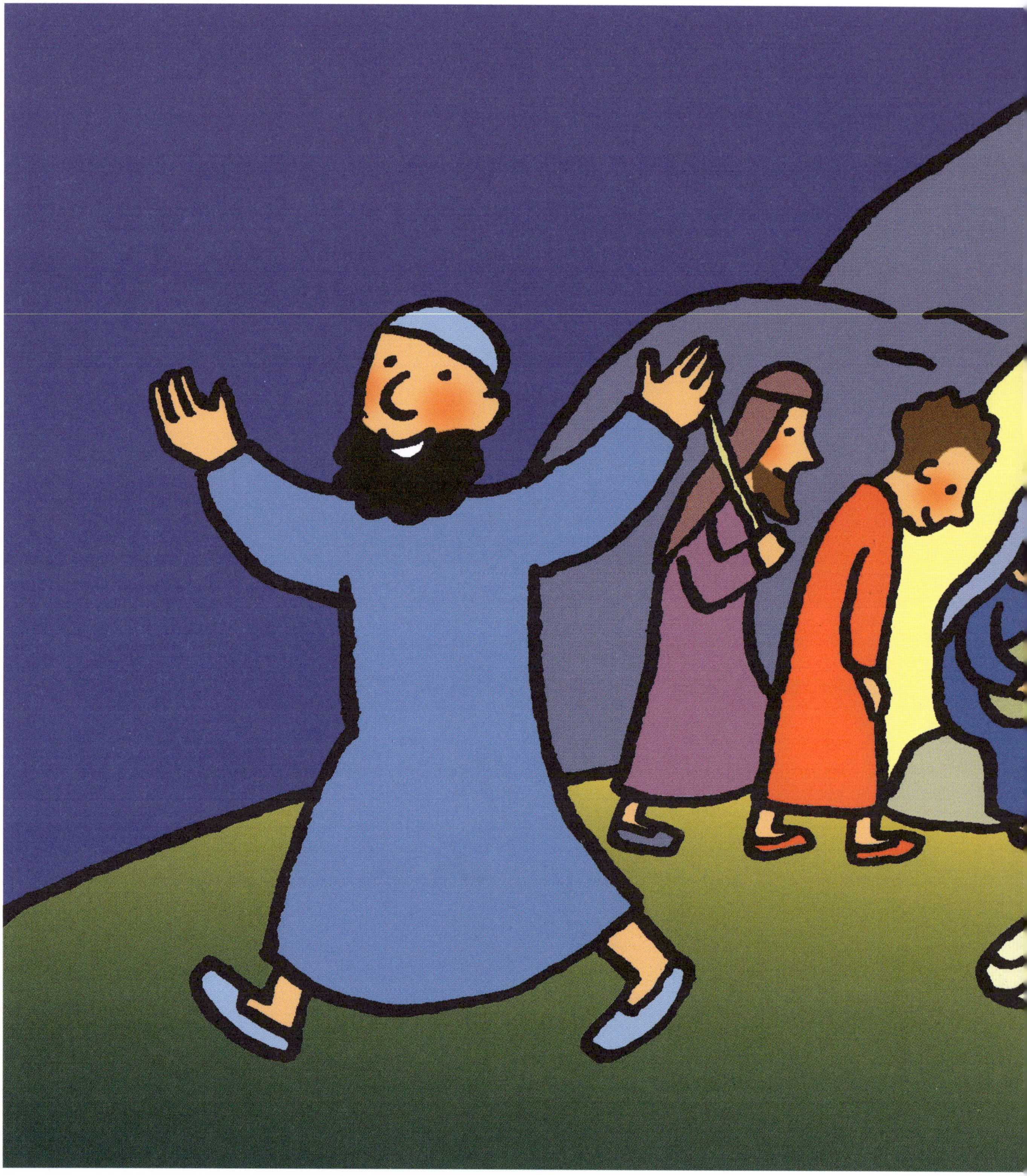

Voll Freude über das Kind im Stall laufen sie zu ihrer Herde zurück. Sie loben Gott: Der Retter ist da.

Sterndeuter suchen Jesus

*Jesus ist Retter für alle Menschen.
Die Menschen erfahren durch
Jesus: Gott hat uns lieb. Das Volk
der Juden, aus dem Jesus stammt,
ist ebenso gemeint wie alle auf der
weiten Welt. Der Evangelist
Matthäus erzählt uns dazu die
Geschichte von den Sterndeutern
aus dem Osten. Sie kommen von
weit her, um Jesus zu ehren.
Alle Menschen suchen ja Gott und
können ihn in Jesus finden.*

Sterndeuter aus dem Osten
folgen einem Stern.
Ein neuer König der Juden soll
geboren sein.
Die Sterndeuter kommen nach
Jerusalem und fragen dort
nach dem neuen König.

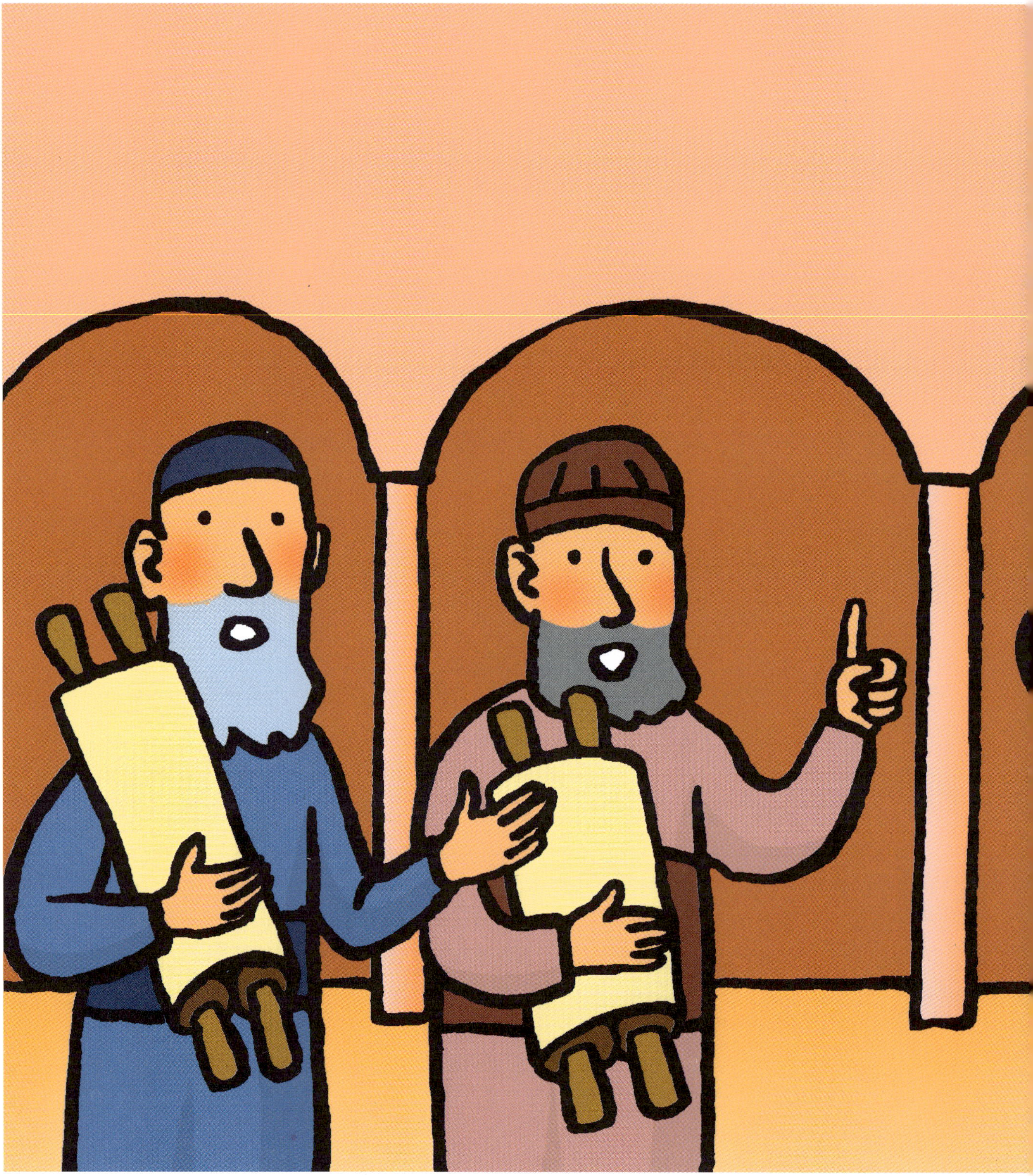

König Herodes erschrickt.
Er fürchtet um seinen Thron.
Seine Berater sagen: Der neue
König kommt aus Betlehem,
wie vor vielen Jahren König
David.

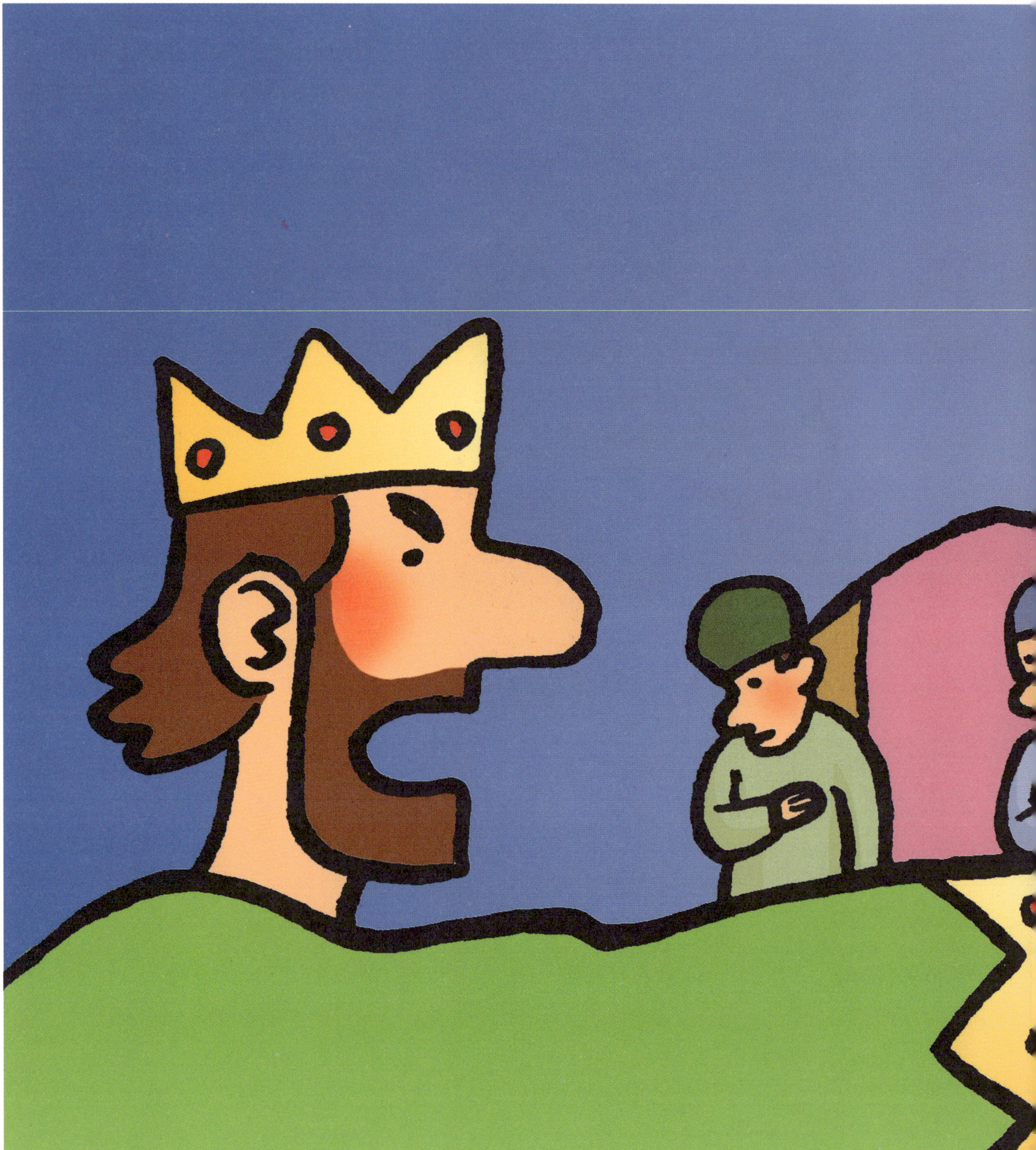

Herodes schickt die
Sterndeuter nach Betlehem.
Er sagt: Wenn ihr den neuen
König gefunden habt,
will auch ich ihn verehren.
Aber er meint es nicht ernst.

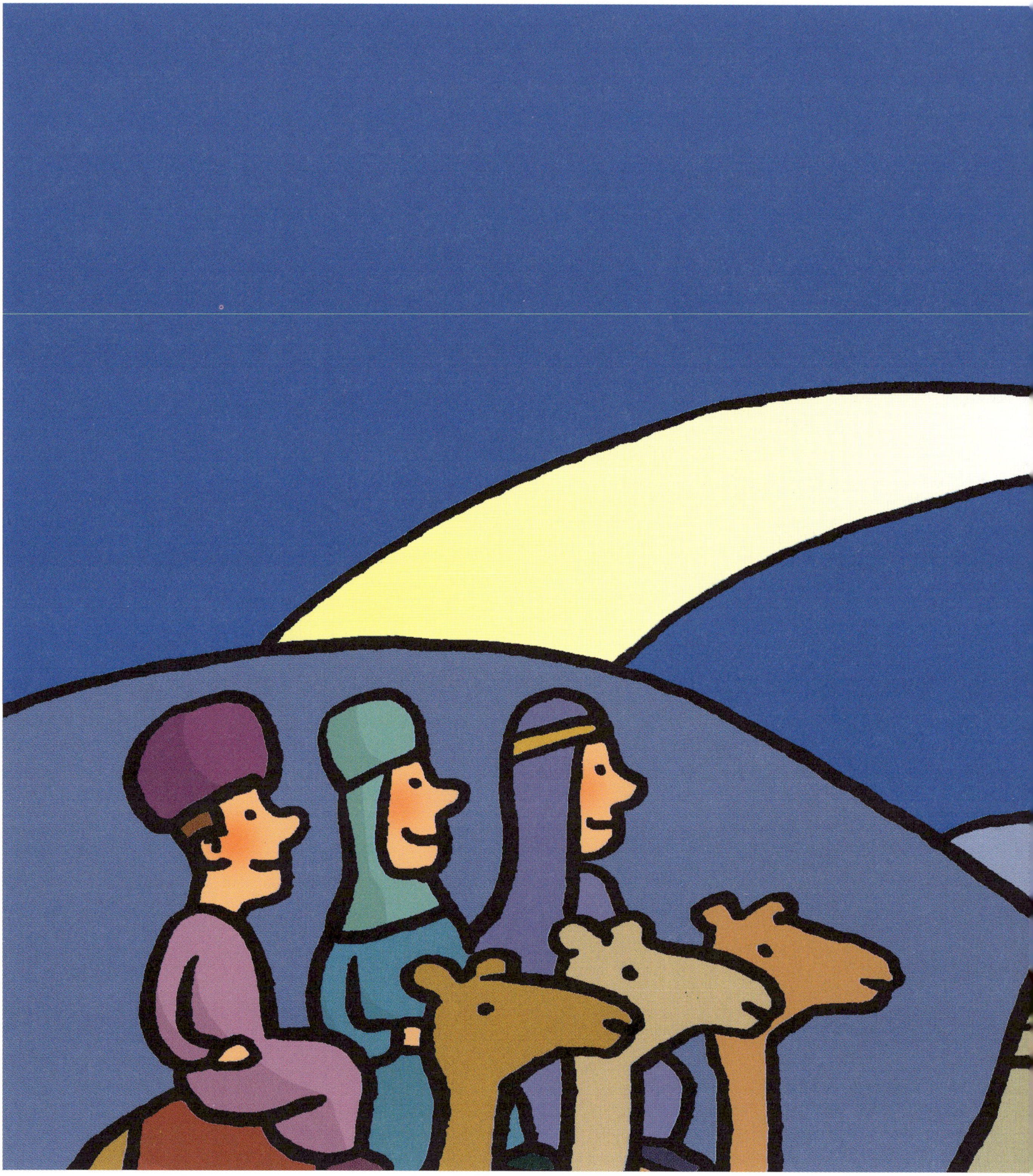

Die Sterndeuter folgen dem Stern und finden Maria, Josef und Jesus im Stall.

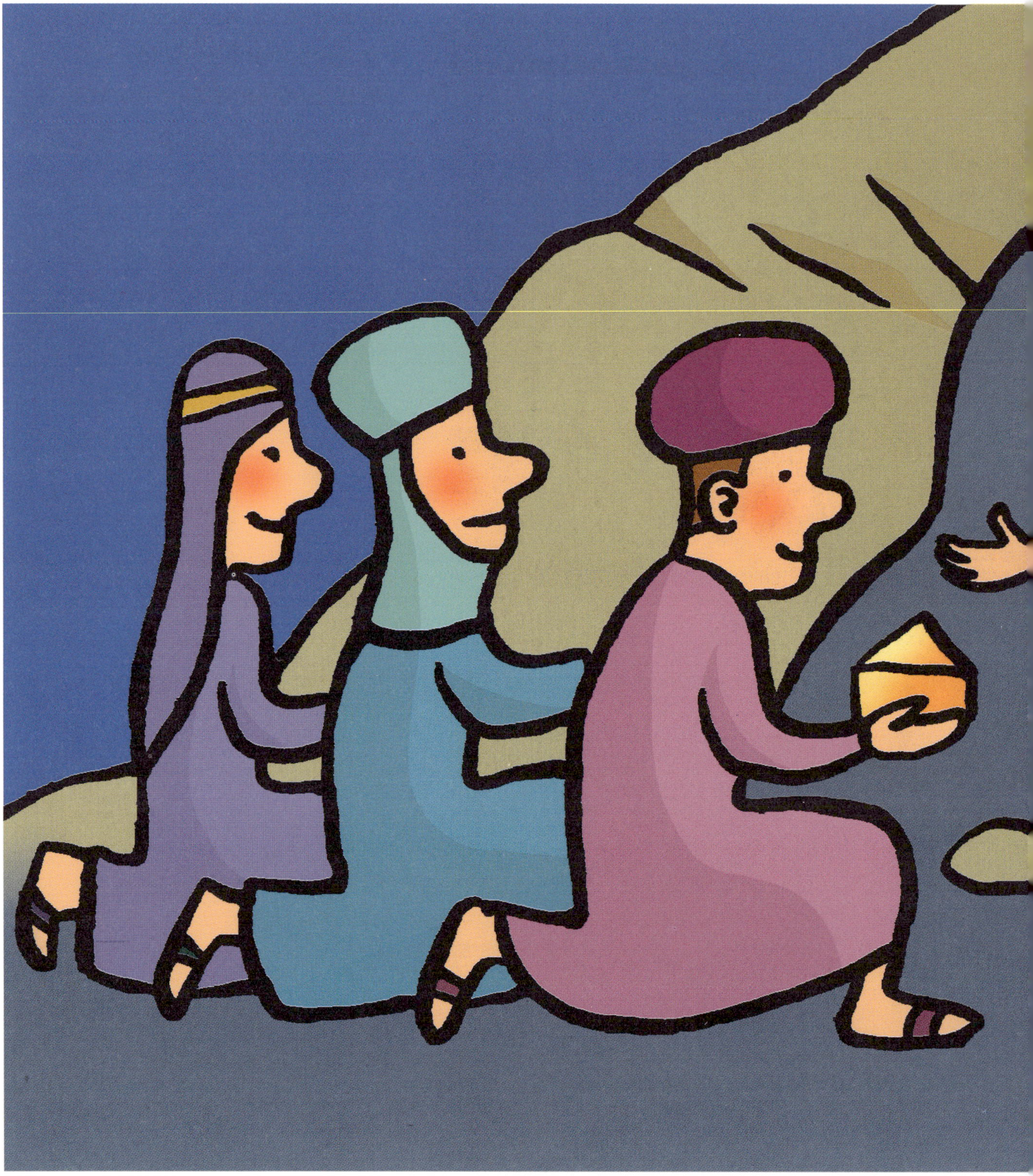

Sie ehren Jesus und bringen ihm Geschenke: Gold, Weihrauch und Myrrhe: das sind Gaben für einen König.

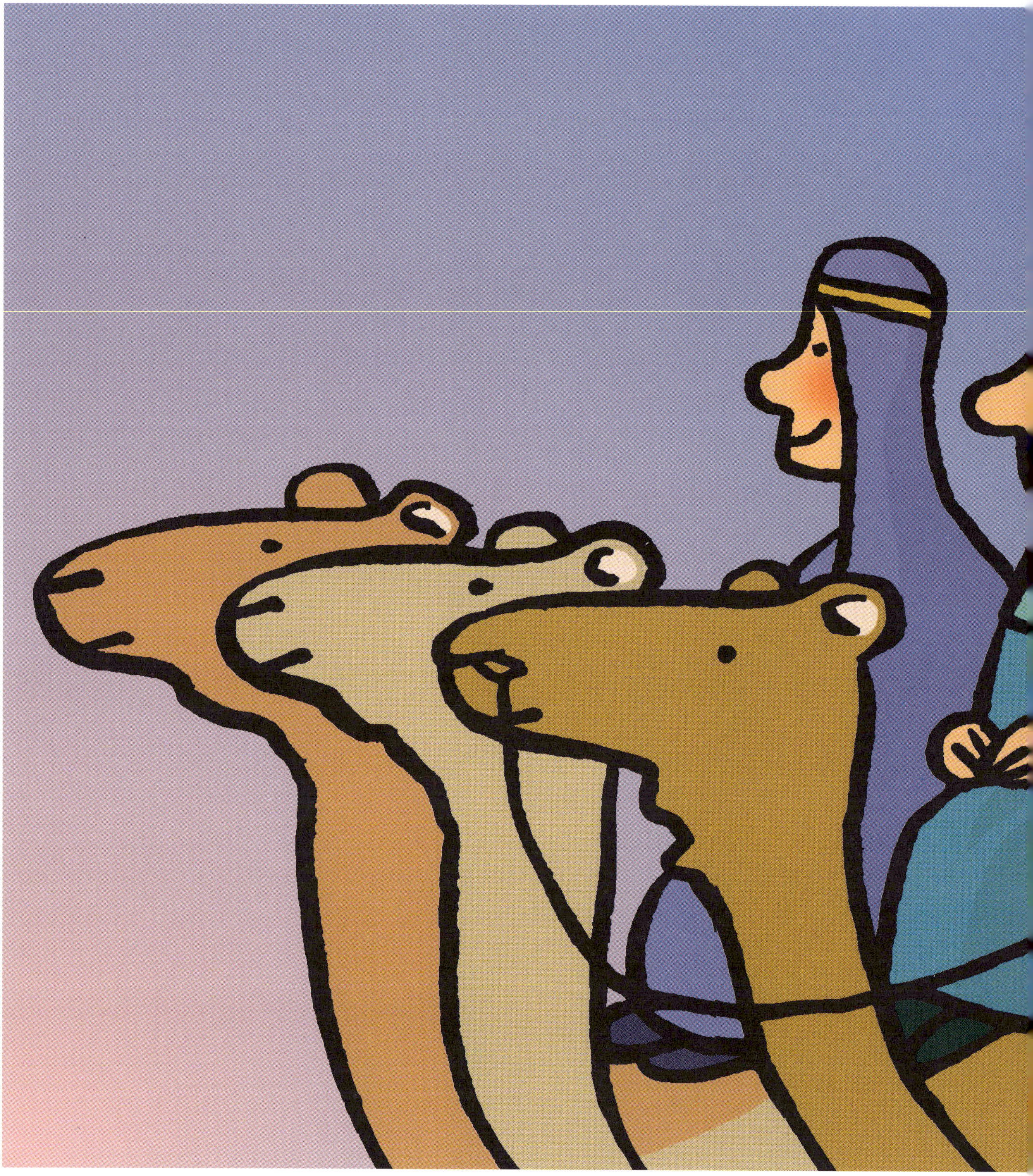

Die Sterndeuter träumen: Ein Engel sagt ihnen, sie sollen nicht zu Herodes zurückkehren. So ziehen sie auf einem anderen Weg in ihr Land zurück.

...

Über die Kindheit und Jugend von Jesus erfahren wir in der Bibel wenig.
Mit zwölf Jahren war Jesus zusammen mit seinen Eltern in Jerusalem. Dort blieb er im Tempel zurück, um mit den Gelehrten über Gott zu sprechen. Als seine Eltern ihn dort nach Tagen fanden, sagte er nur: Wusstet ihr nicht, dass ich im Haus meines Vaters sein muss? Mit seinem Vater meinte er Gott.
Jahre später als junger Mann muss Jesus eine wichtige Erfahrung gemacht haben. Er begegnet Johannes dem Täufer und lässt sich von ihm taufen. Seitdem kennt er nur noch eines: Ich muss allen Leuten von der Güte Gottes erzählen. Niemand braucht Gott zu fürchten, er will allen nahe sein.
Jesus gewinnt Freunde. Mit seinen Jüngern zieht er durch seine Heimat Galiläa, spricht zu den Leuten und tut wunderbare Dinge. Immer spüren die Leute: Ja, Gott ist mit Jesus. Ihm zu begegnen macht sicher, gesund und froh. Mit ihm kommt der Friede ins Leben.

...

Jesus beruft Jünger

Jesus sucht die Gemeinschaft der Menschen. Er möchte ihnen von Gott erzählen. Einige ruft Jesus in seine besondere Nähe: die zwölf Jünger. Auch sie sollen zu den Leuten gehen und ihnen sagen, dass Gott sie liebt und ihnen ganz nahe ist.

Jesus geht an den See Gennesaret.
Einige Fischer waschen gerade ihre Netze.

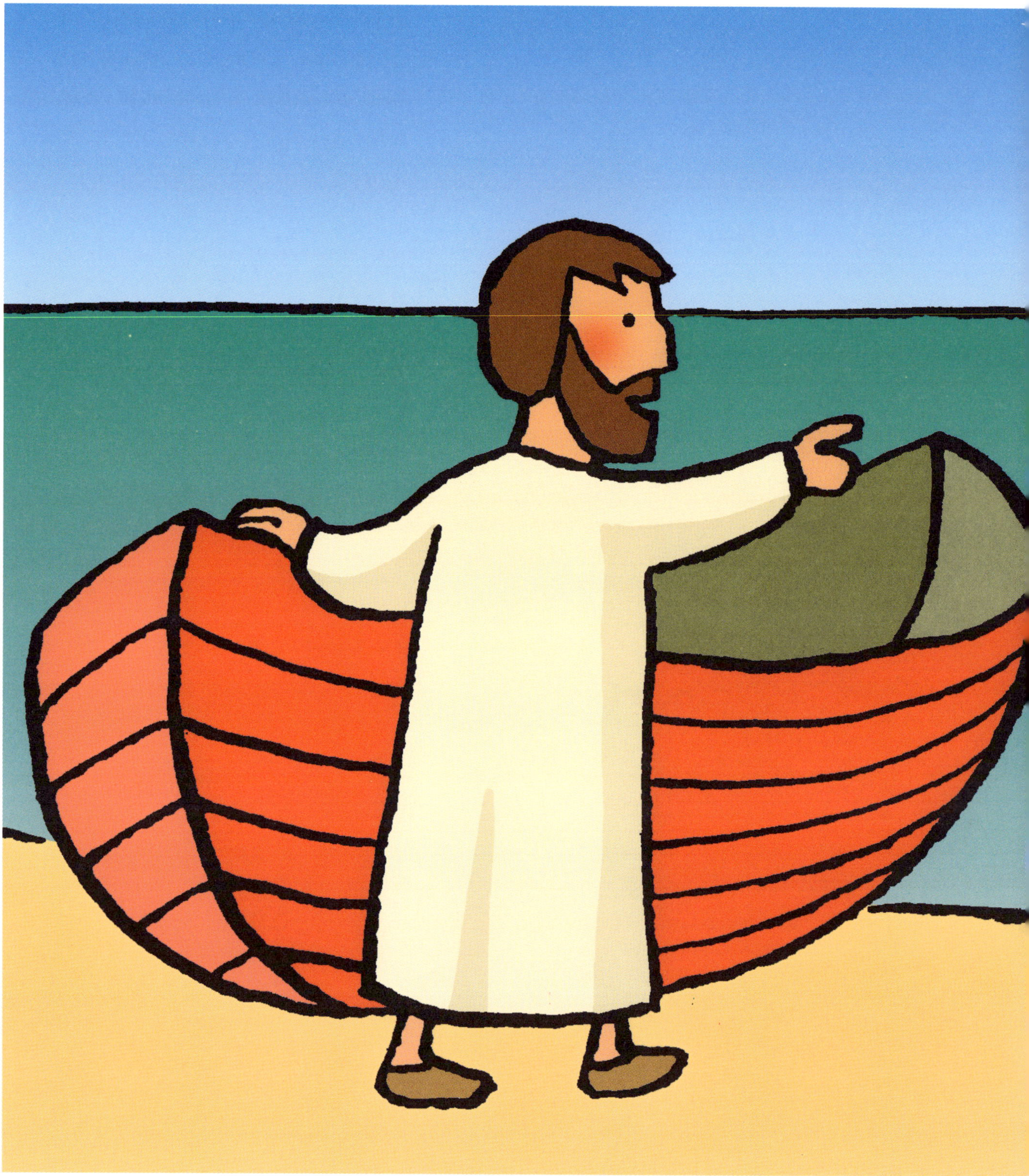

Jesus fragt Petrus: Wollt ihr mit zum Fischen auf den See fahren? Petrus sagt: Wir haben doch die ganze Nacht gefischt und nichts gefangen!

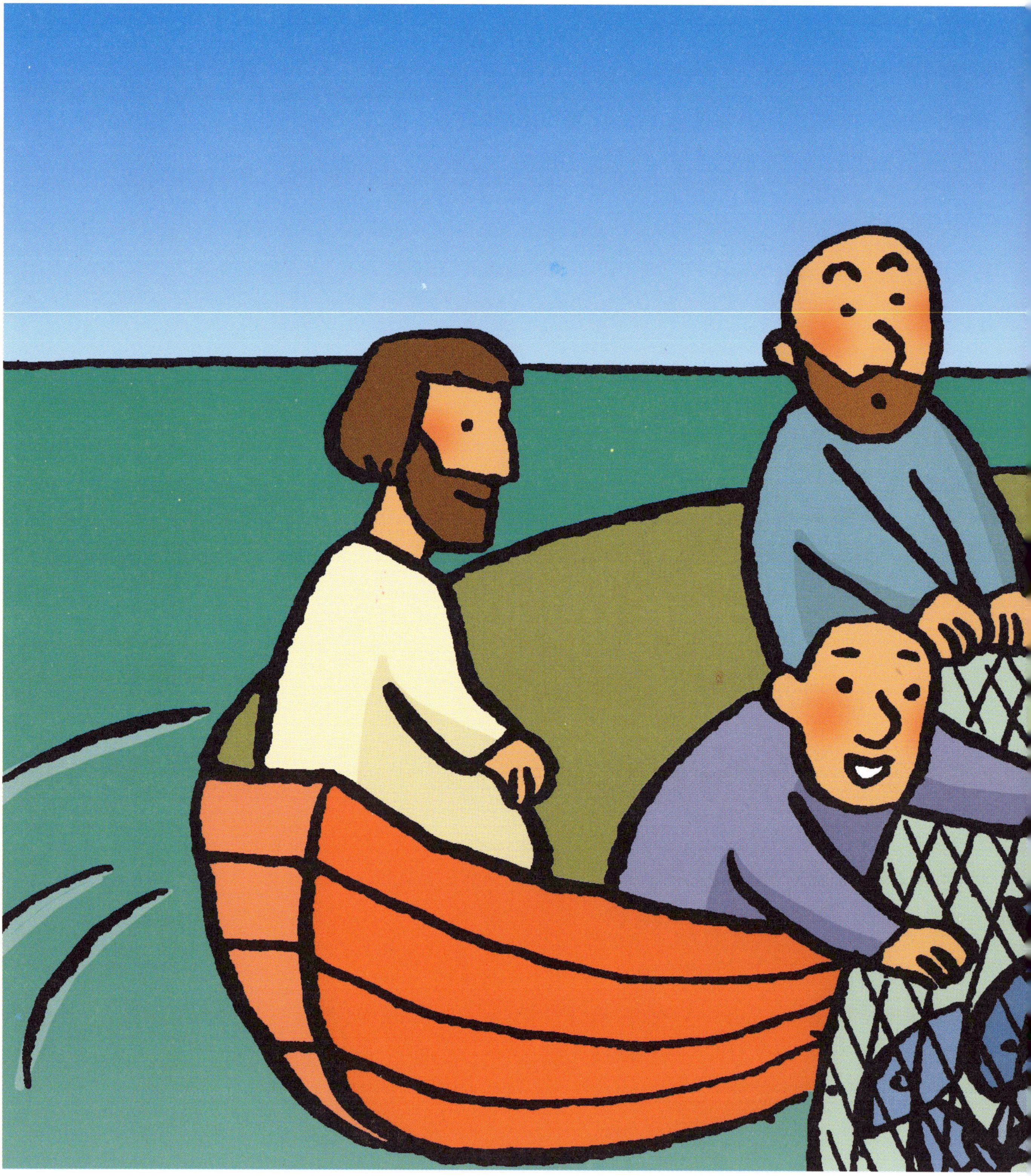

Auf einmal fangen sie so viele Fische, dass sie Hilfe brauchen. Jesus sagt zu ihnen: Geht mit mir, ihr werdet nun Menschen um euch sammeln und ihnen Gottes Wege zeigen.

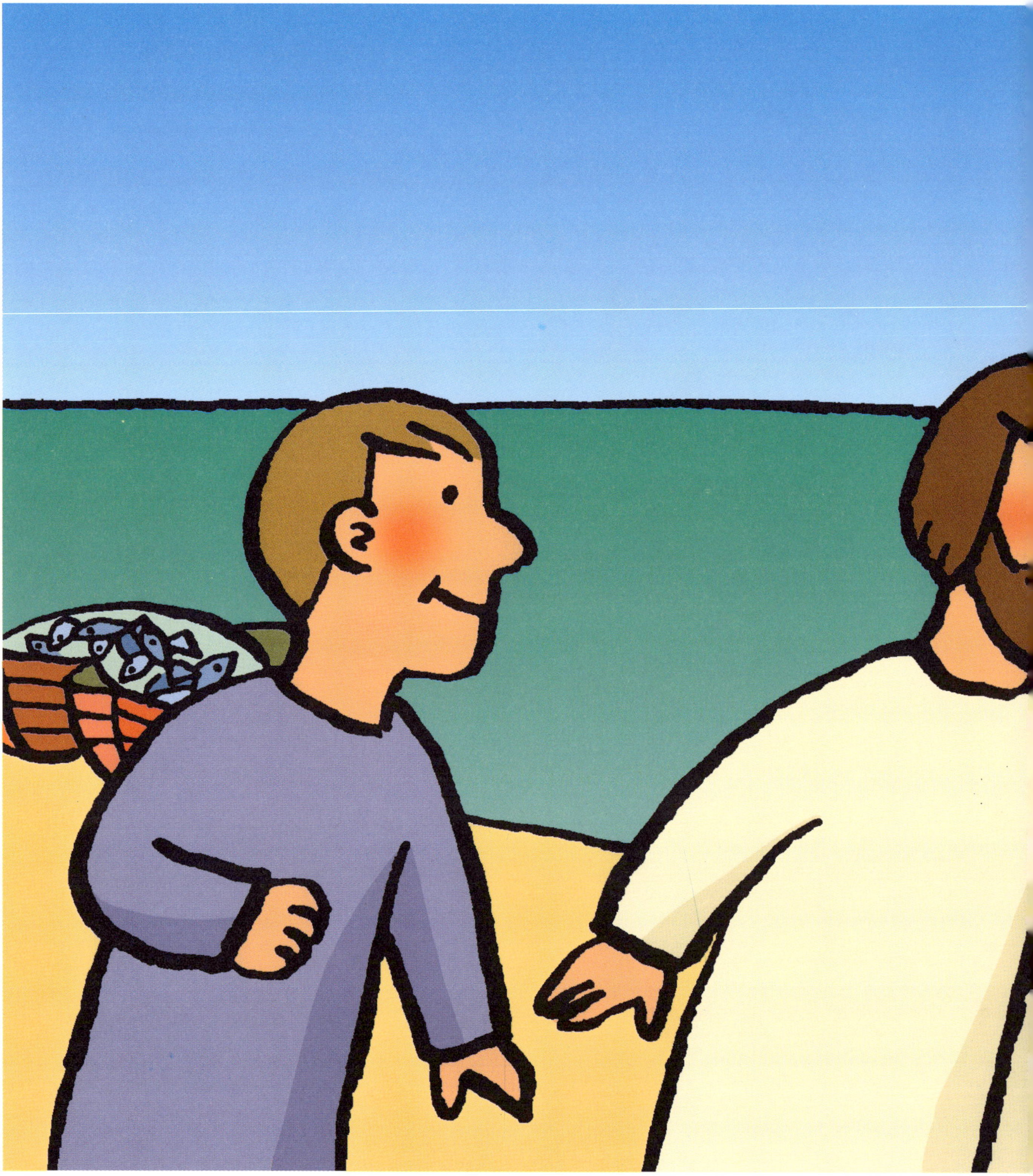

Die Fischer lassen ihre Boote liegen und folgen Jesus.

Jesus besänftigt einen Sturm

Noch heute ist ein Sturm auf dem Meer gefährlich. Oft packt die Leute im Sturm Angst. Wenn der Sturm sich beruhigt, sind alle froh. Die Gefahr ist vorüber. Immer wieder kommen im Leben Gefahren auf uns zu. Aber: Wir sind in Gottes Hand, was immer auch geschieht.

Jesus besteigt mit seinen Jüngern ein Boot.
Sie wollen an die andere Seite des Sees fahren.

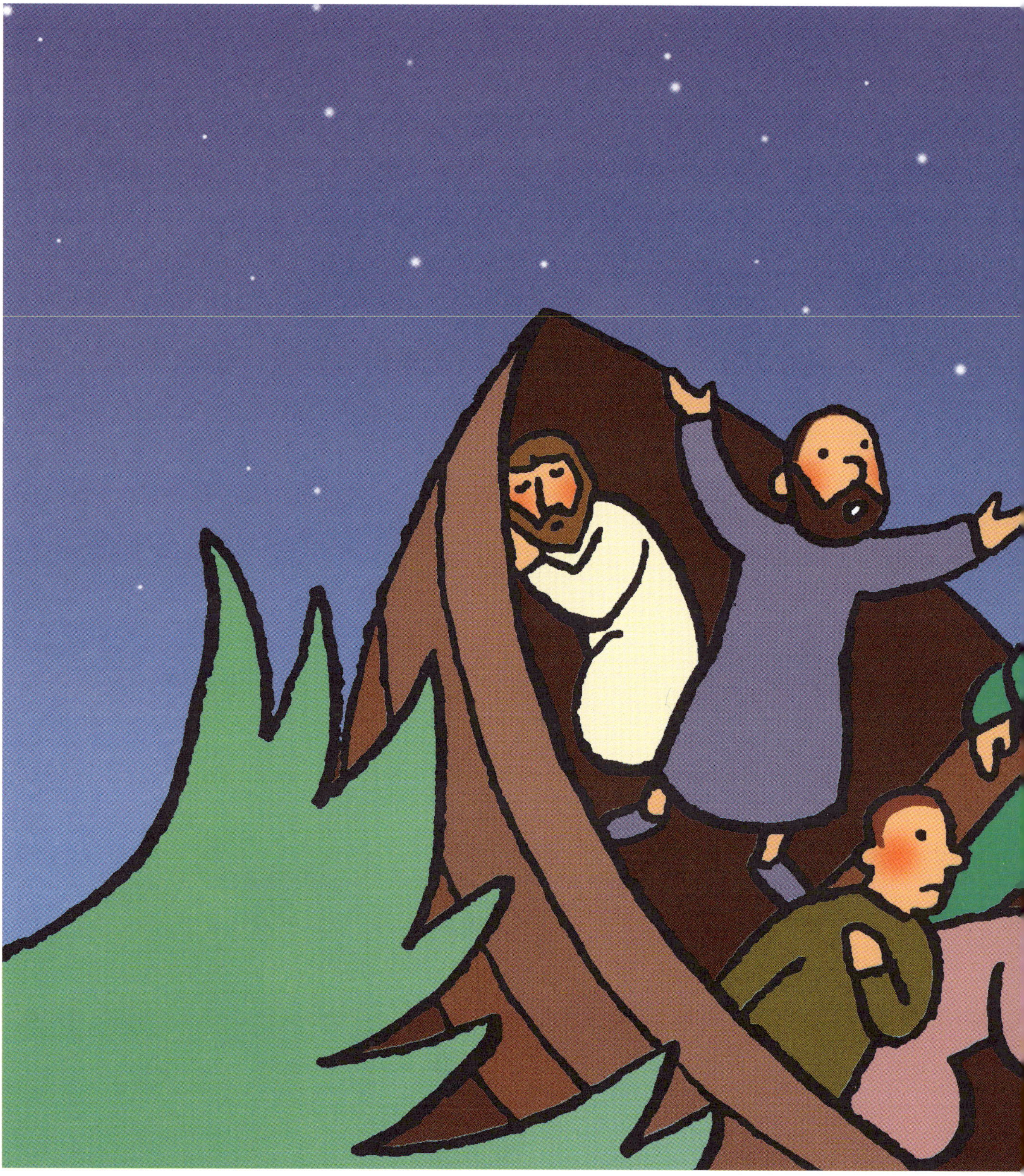

Ein gewaltiger Sturm kommt auf. Die Wellen schlagen ins Boot. Jesus aber schläft.

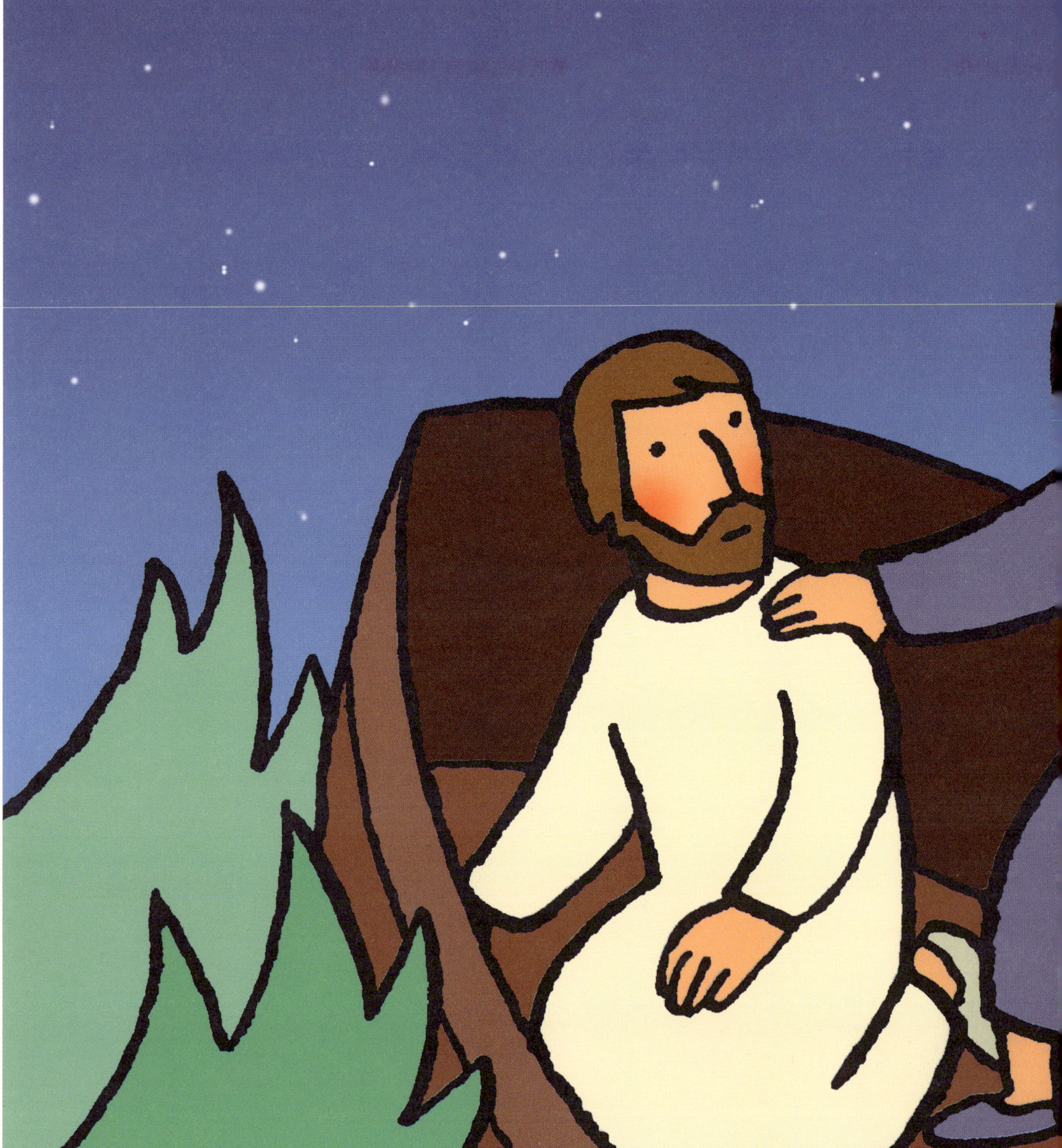

Die Jünger haben große Angst. Einer weckt Jesus. Er schreit: Wie kannst du schlafen! Wir gehen unter! Ist dir das egal?

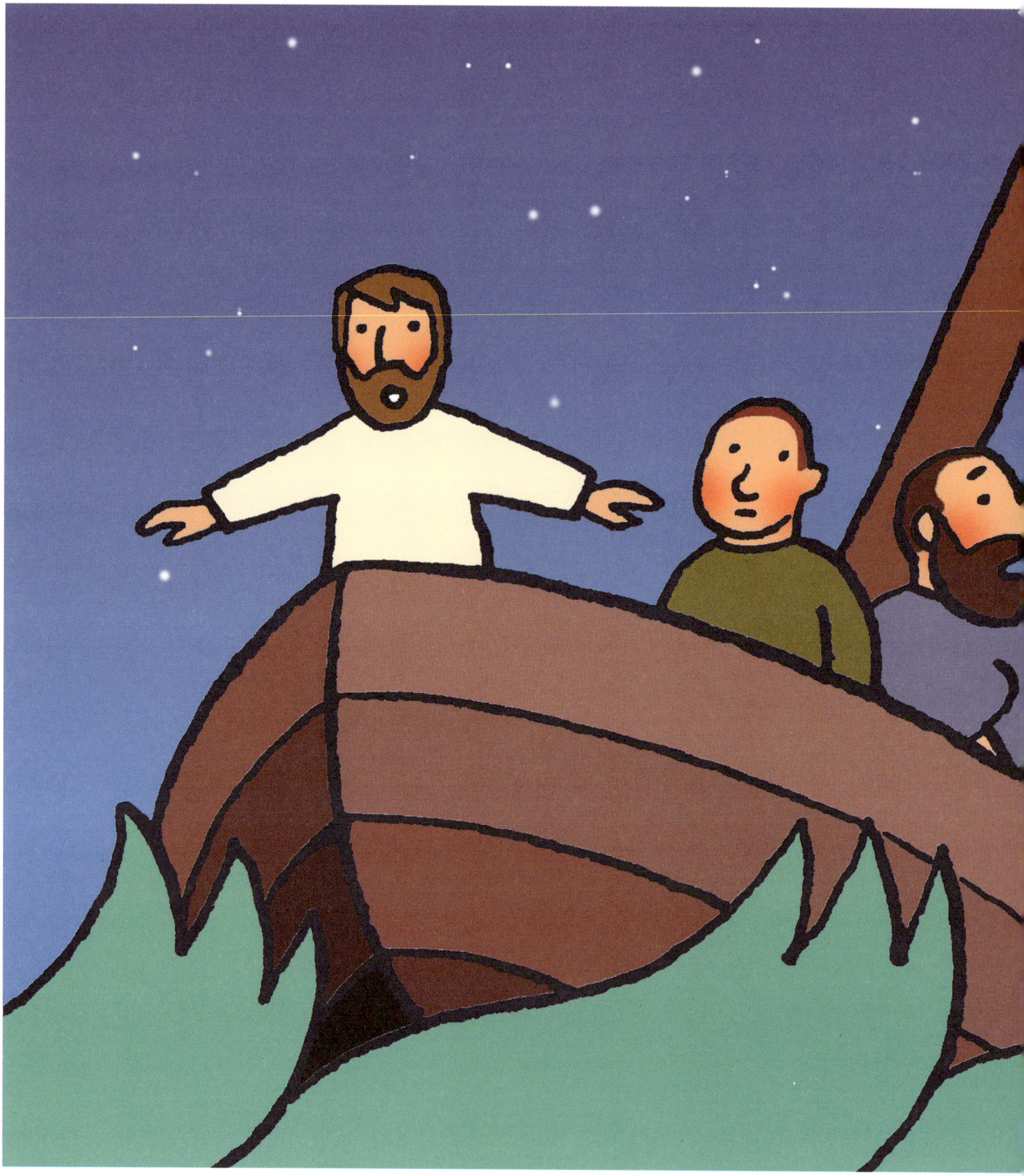

Da droht Jesus dem Sturm:
Schweig! Sei still!
Und der Sturm legt sich.

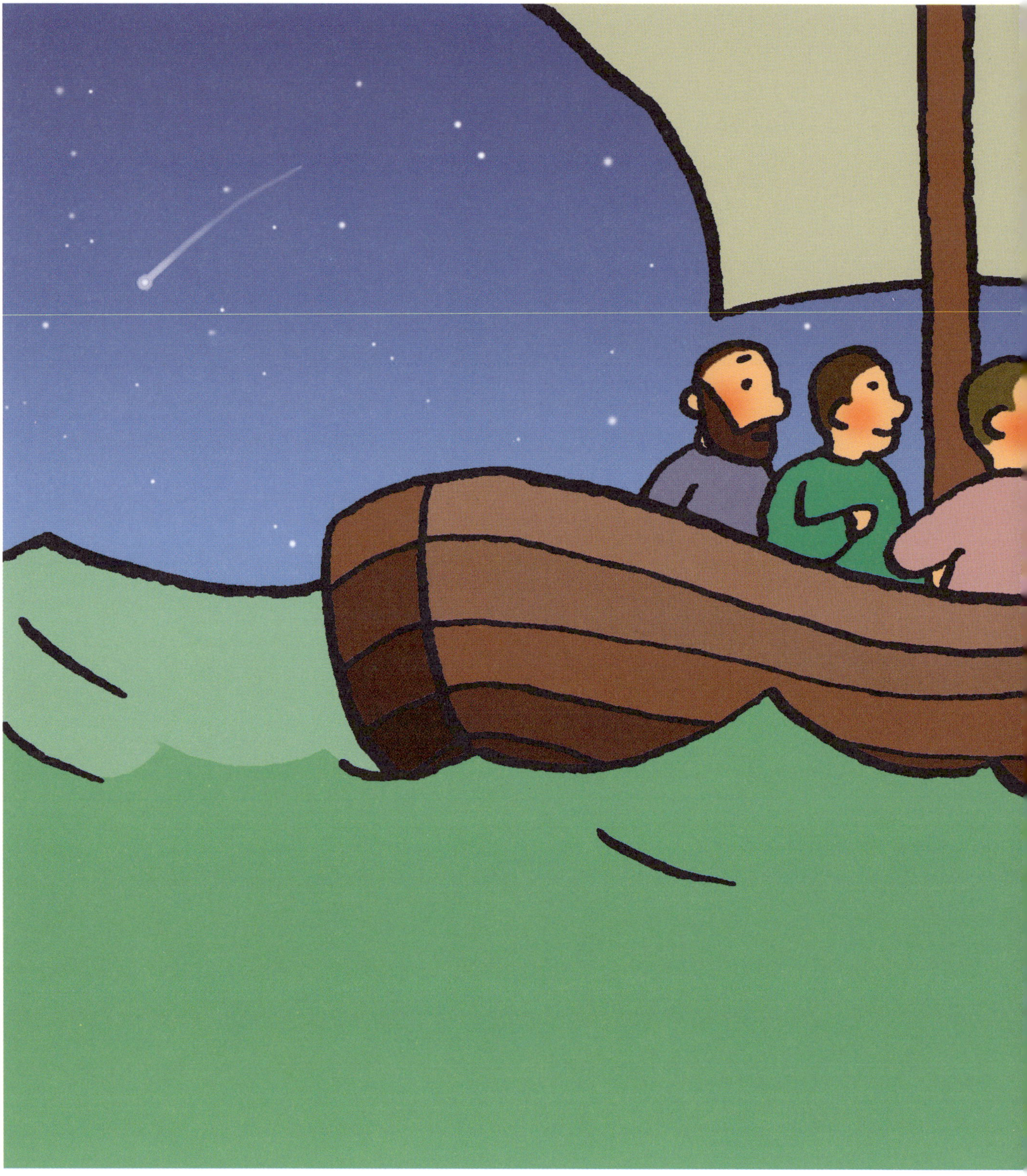

Jesus sagt zu den Jüngern:
Warum habt ihr solche Angst?
Wir sind doch in Gottes Hand!
Er sorgt für uns.

...

Jesus begegnet vielen Menschen. Nicht alle sind bereit, seine gute Botschaft von Gott anzuhören und in ihrem Herzen zu bedenken. Aber viele sind offen für ihn wie Kinder, die nichts Böses im Sinn haben.
Es fällt auf: Jesus schenkt seine besondere Beachtung allen, die von andern übersehen oder gemieden werden: Kindern, Kranken, Traurigen, Gefangenen, Armen, Hilflosen.
Gerade sie suchen menschliche Nähe und Gottes Hilfe, damit sie ihr Leben meistern können.
Jesus tut ihnen Gutes und sagt damit allen: So ist Gott. So sollt auch ihr zueinander sein.
Wer für die Menschen da ist, die sonst gemieden werden, erweist sich selbst den größten Gefallen: Er handelt menschlich und wird froh dabei. Was willst du mehr im Leben?

...

Jesus liebt die Kinder

Kinder sind klein und manchmal hilflos. Von Erwachsenen werden sie oft übersehen. Wenn sie ihre Meinung sagen, hören sie oft: Das verstehst du noch nicht. Dafür bist du noch zu klein. Aber Kinder haben Rechte wie jeder andere auch.

Jesus erzählt den Leuten von Gott.
Auch ein Kind möchte zuhören.

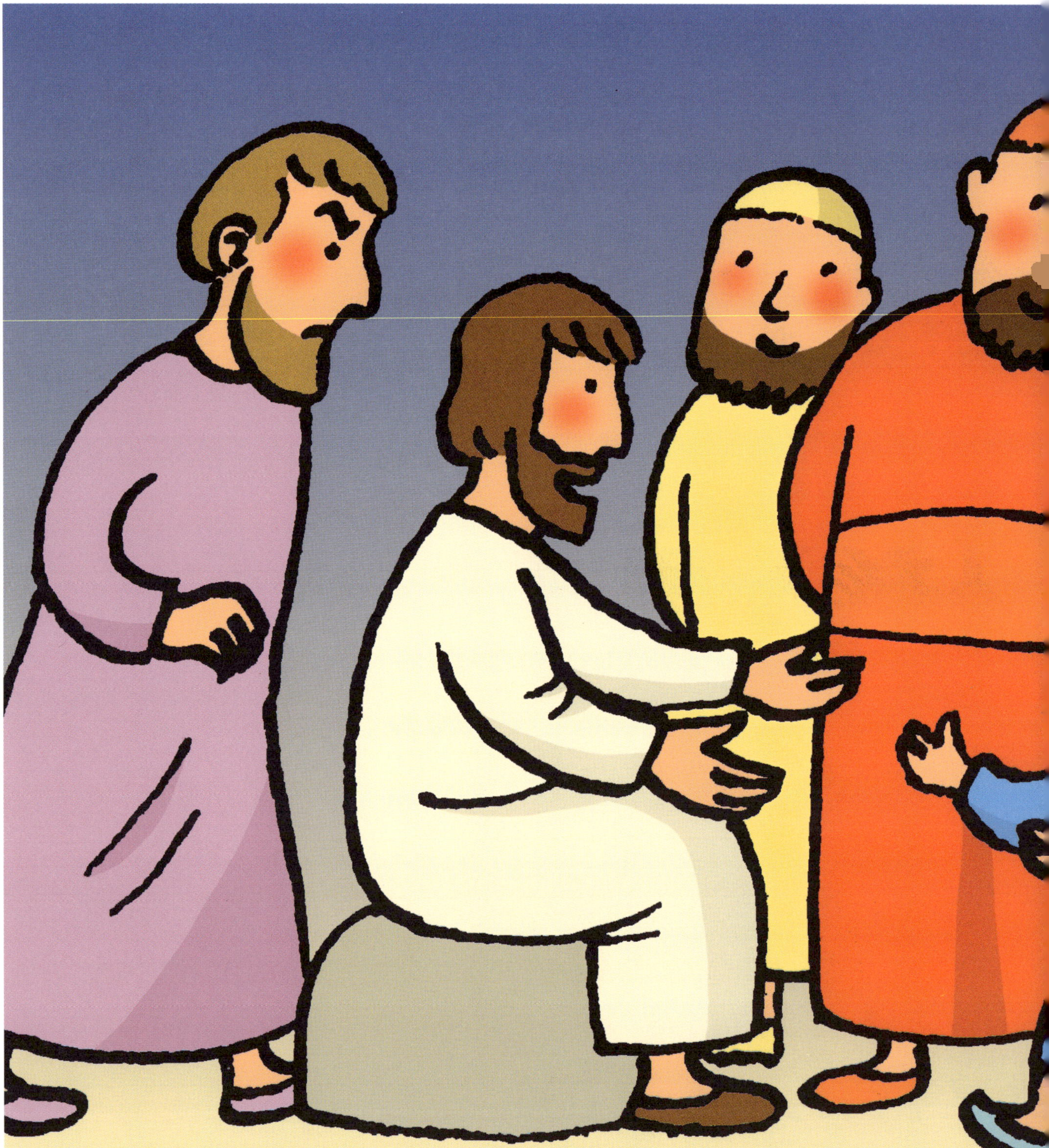

Jesus sieht das Kind und ruft es zu sich.
Da geht das Kind fröhlich auf Jesus zu.

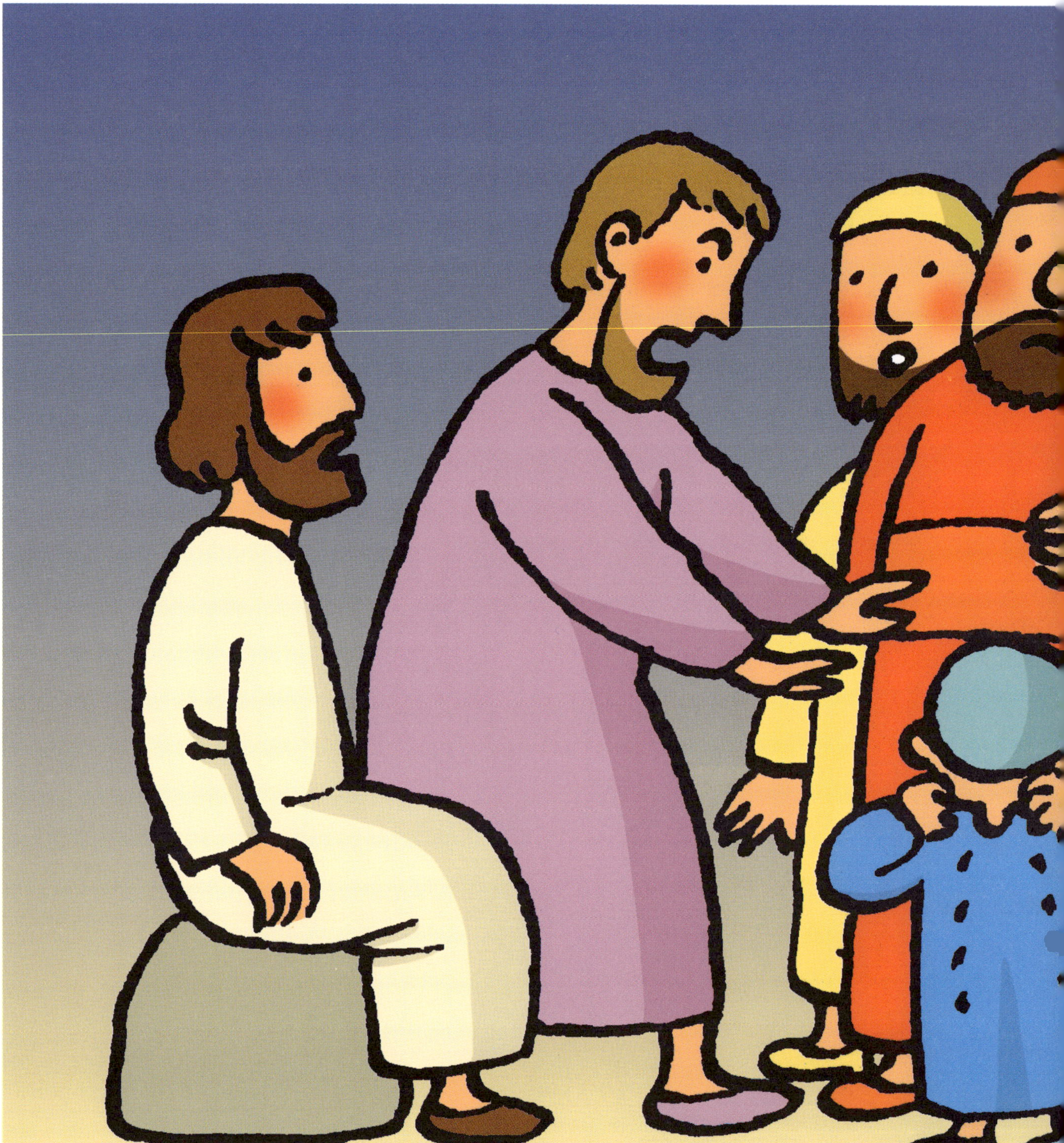

Ein Jünger tritt dazwischen.
Das Kind soll Jesus nicht
stören. Es fängt an zu weinen.

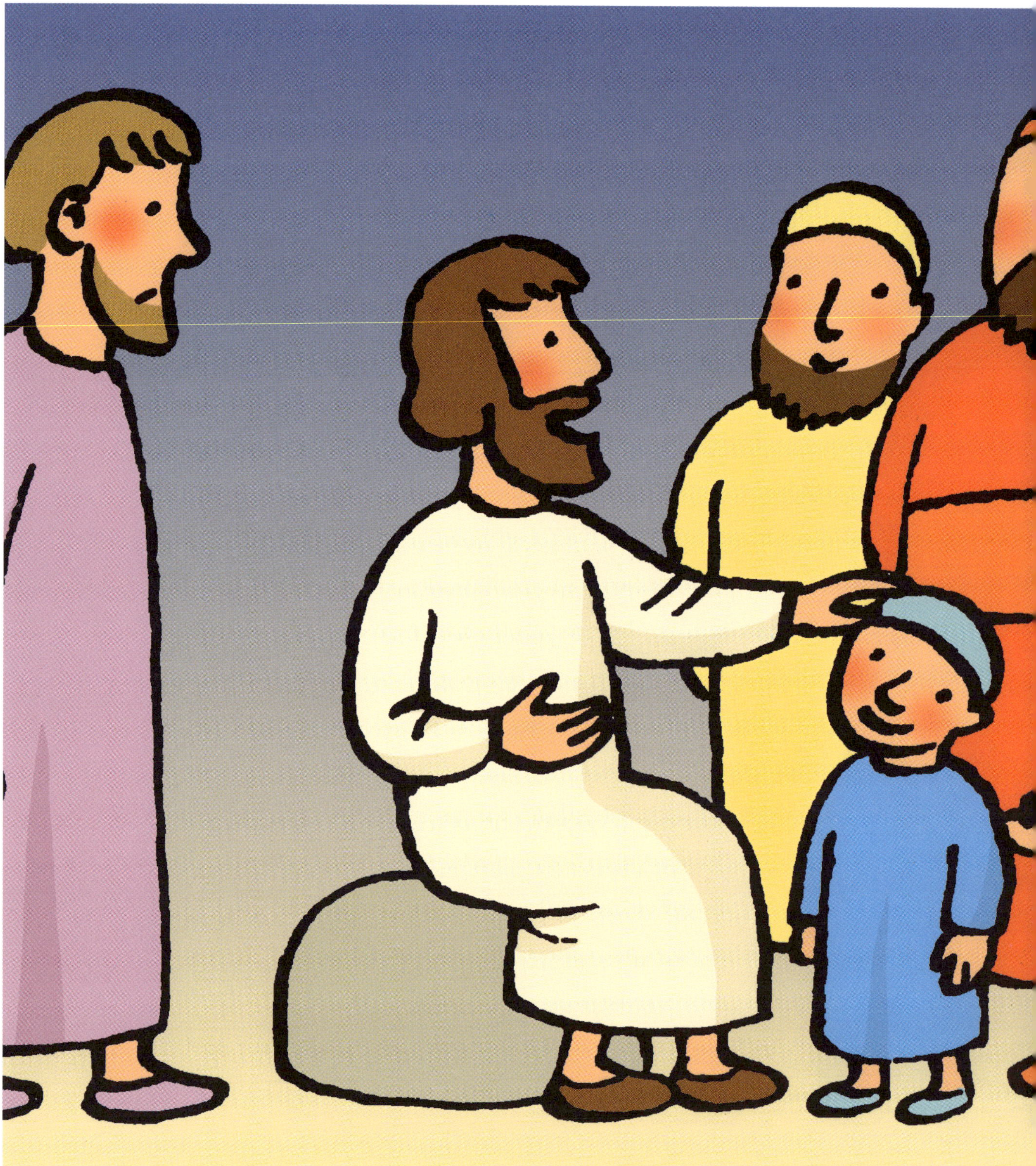

Da sagt Jesus: Lasst doch die Kinder zu mir kommen!
Sie sind Gott ganz besonders nah. Und er segnet die Kinder.

Jesus ruft Zachäus

Zachäus ist ein kleiner Mann. Er kann sich unter den großen Leuten kaum bemerkbar machen. Er ist Zöllner. Zachäus muss für die Römer Steuern eintreiben. Einen Teil des Geldes behält er für sich. Manchmal betrügt er andere. Er nimmt ihnen viel zu viel Geld ab, um noch reicher zu werden.

Jesus kommt nach Jericho. Viele Leute wollen ihn sehen und sprechen. Auch Zachäus will ihn sehen, aber er ist zu klein. Die Menschen vor ihm versperren ihm die Sicht.

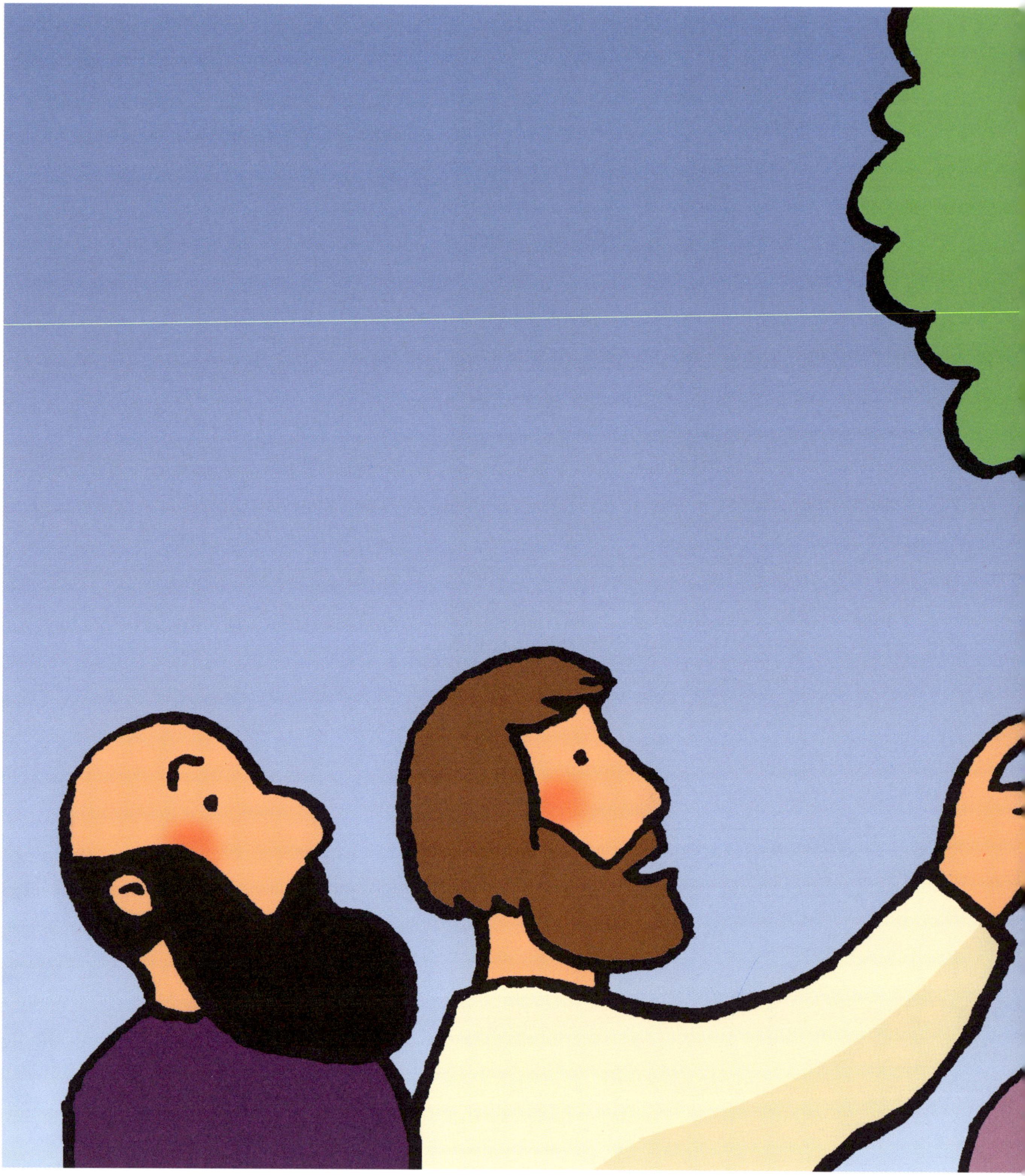

Da steigt Zachäus auf einen Baum. Jesus sieht ihn dort und sagt: Komm schnell herunter! Ich möchte dich heute in deinem Haus besuchen.

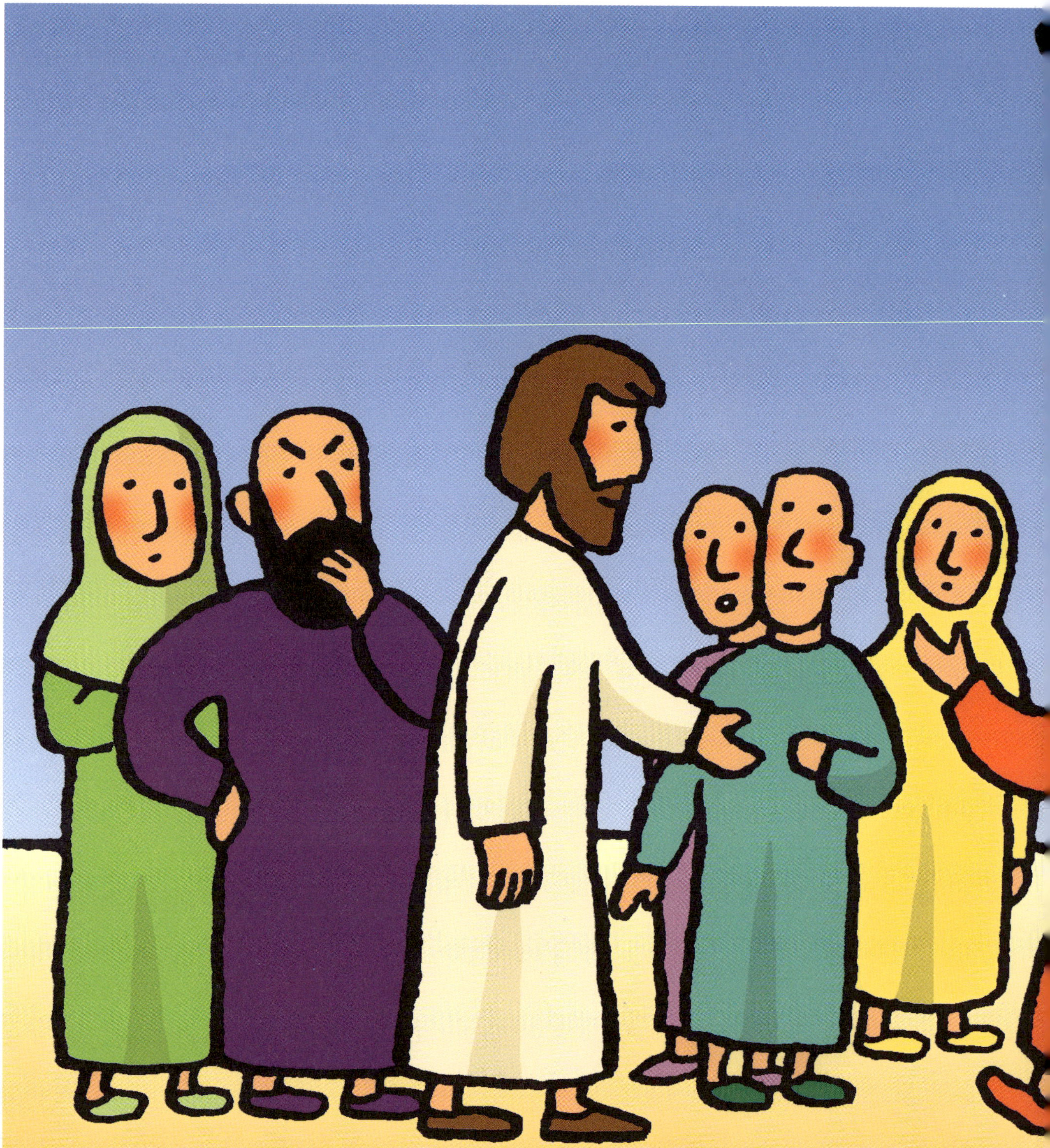

Da klettert Zachäus vom Baum und lädt Jesus zu sich ein.

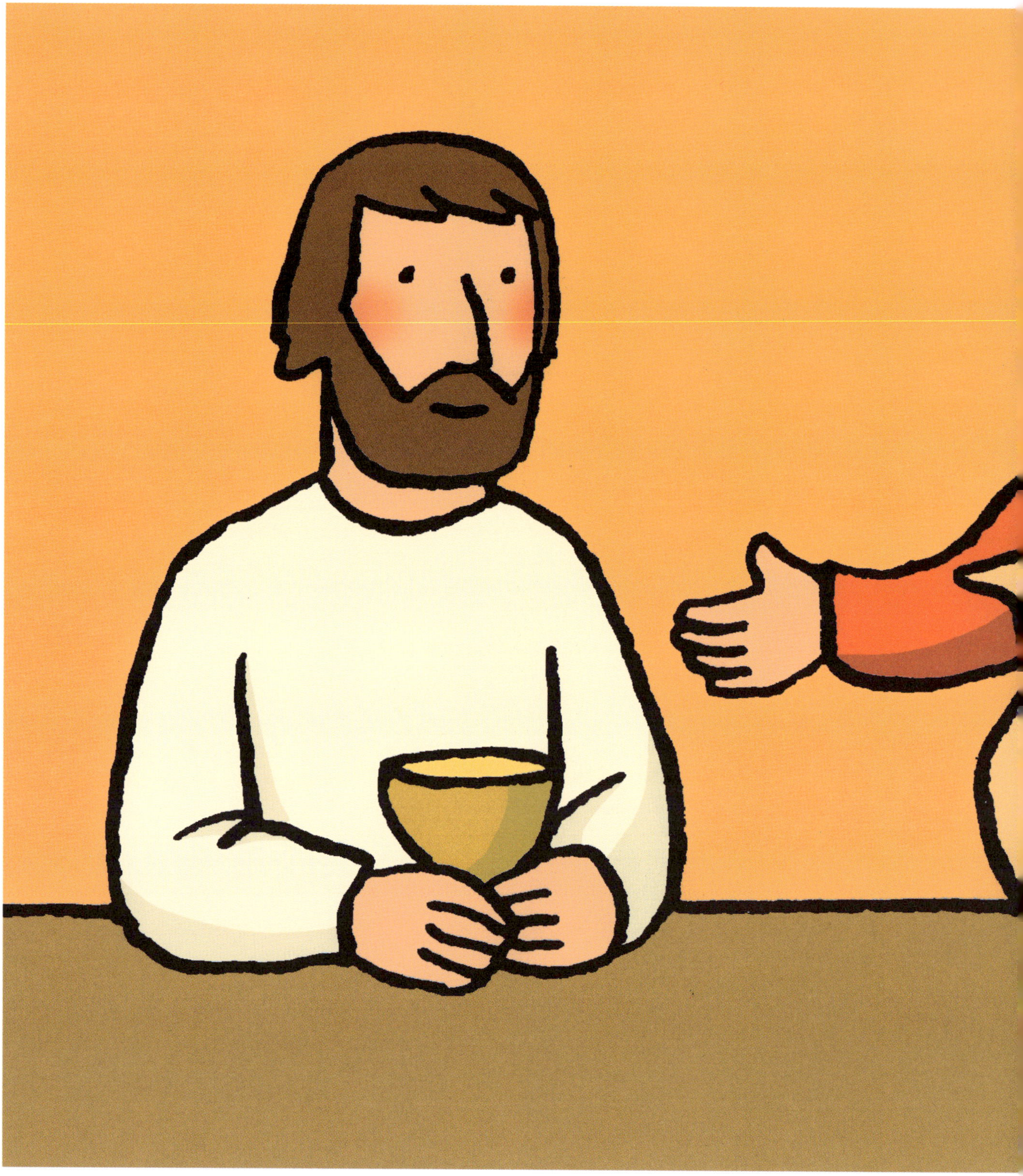

Beide sitzen am Tisch im Haus des Zachäus. Sie essen und trinken. Zachäus ist überglücklich.

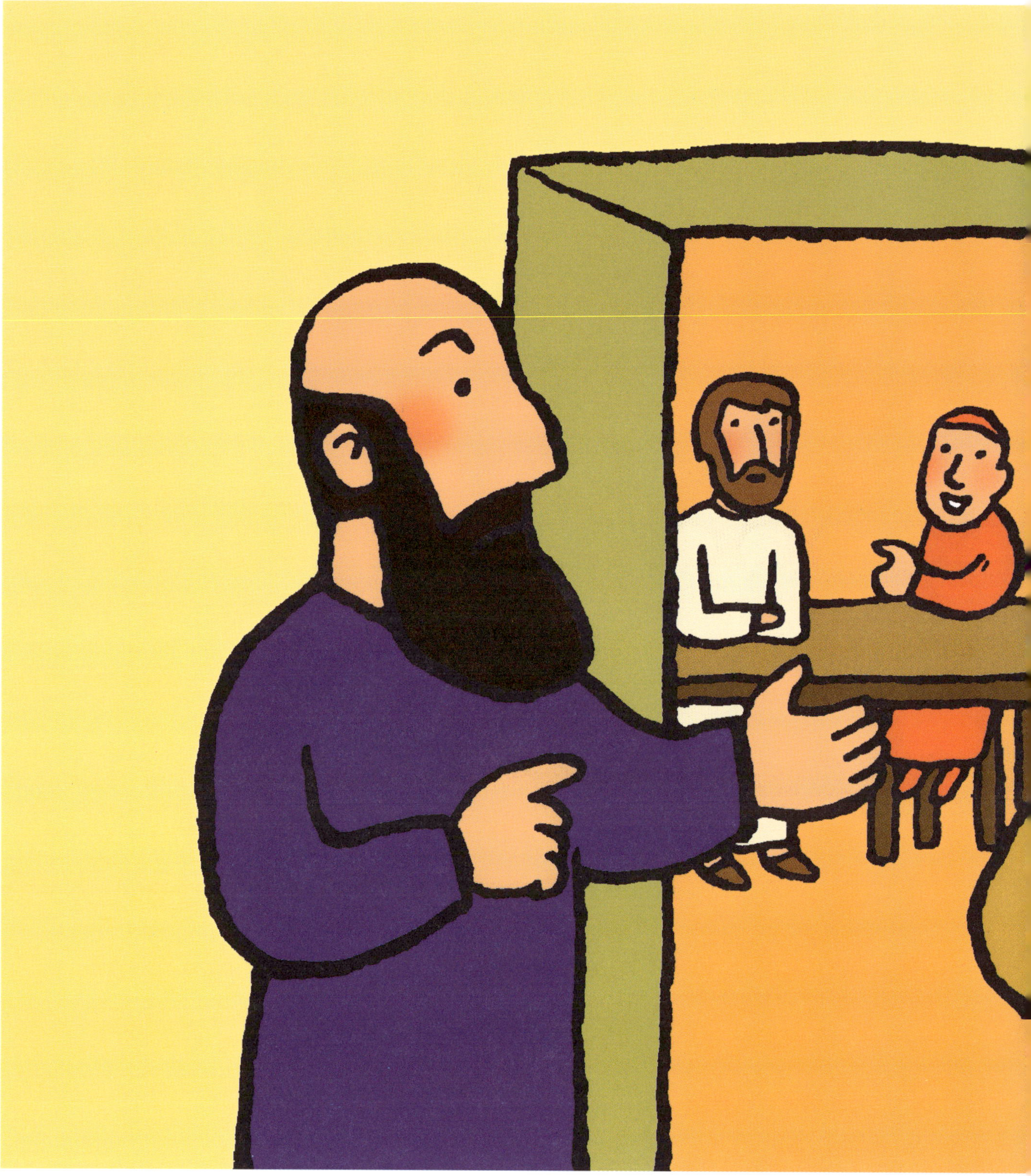

Die Nachbarn ärgern sich und sagen: Bei einem Betrüger kehrt Jesus ein. Das darf er doch nicht machen!

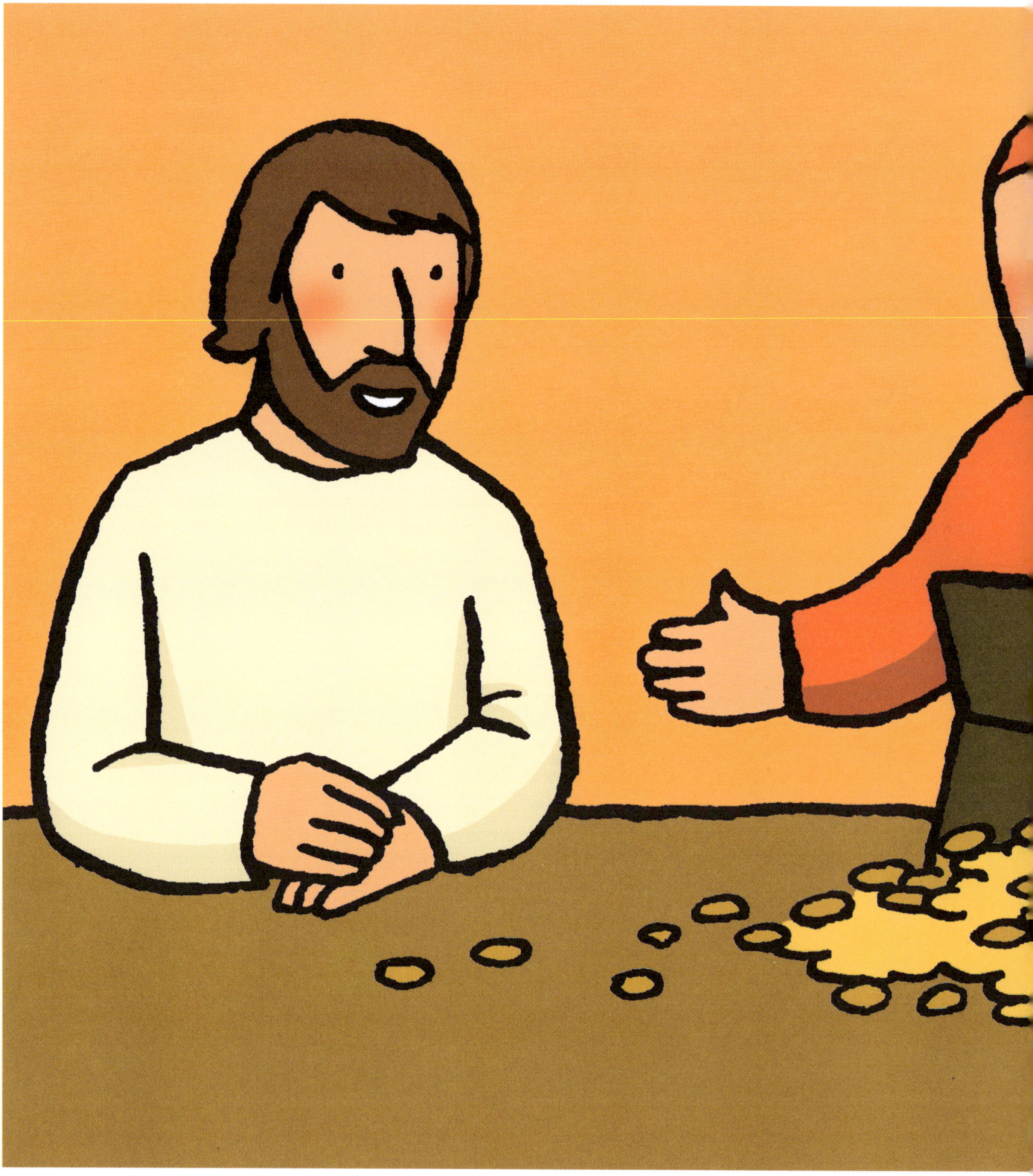

Doch Zachäus sagt zu Jesus: Ich bin über deinen Besuch so froh!
Ich will den Leuten, die ich betrogen habe, ihr Geld zurückgeben. Und die Hälfte meines Besitzes schenke ich den Armen.

...

Jesus kann spannend erzählen.
Viele Leute hören ihm zu.
Die Leute bewundern seine guten Einfälle.
Sie merken aber auch: Diese Geschichten erzählen etwas von mir und sie erzählen von Gott. Sie machen die Leute nachdenklich: Viele hören Jesus zu und ändern ihr Leben.
Es sind Geschichten mitten aus dem Leben. Jeder kann sie sofort verstehen.
Es wäre ja auch schlimm, wenn wir nicht verstehen könnten, was Gott mit uns vorhat.

...

Ein weites Herz haben

Jesus erzählt von einem guten Vater, der ein Herz für seine Söhne hat. Aber die Zuhörer merken gleich: Jesus erzählt von Gott und von ihnen. Wie ist eigentlich Gott? Wie soll ich mich verhalten?

Ein Mann hat zwei Söhne. Der Jüngere möchte sein Erbteil haben. Der Vater gibt es ihm.

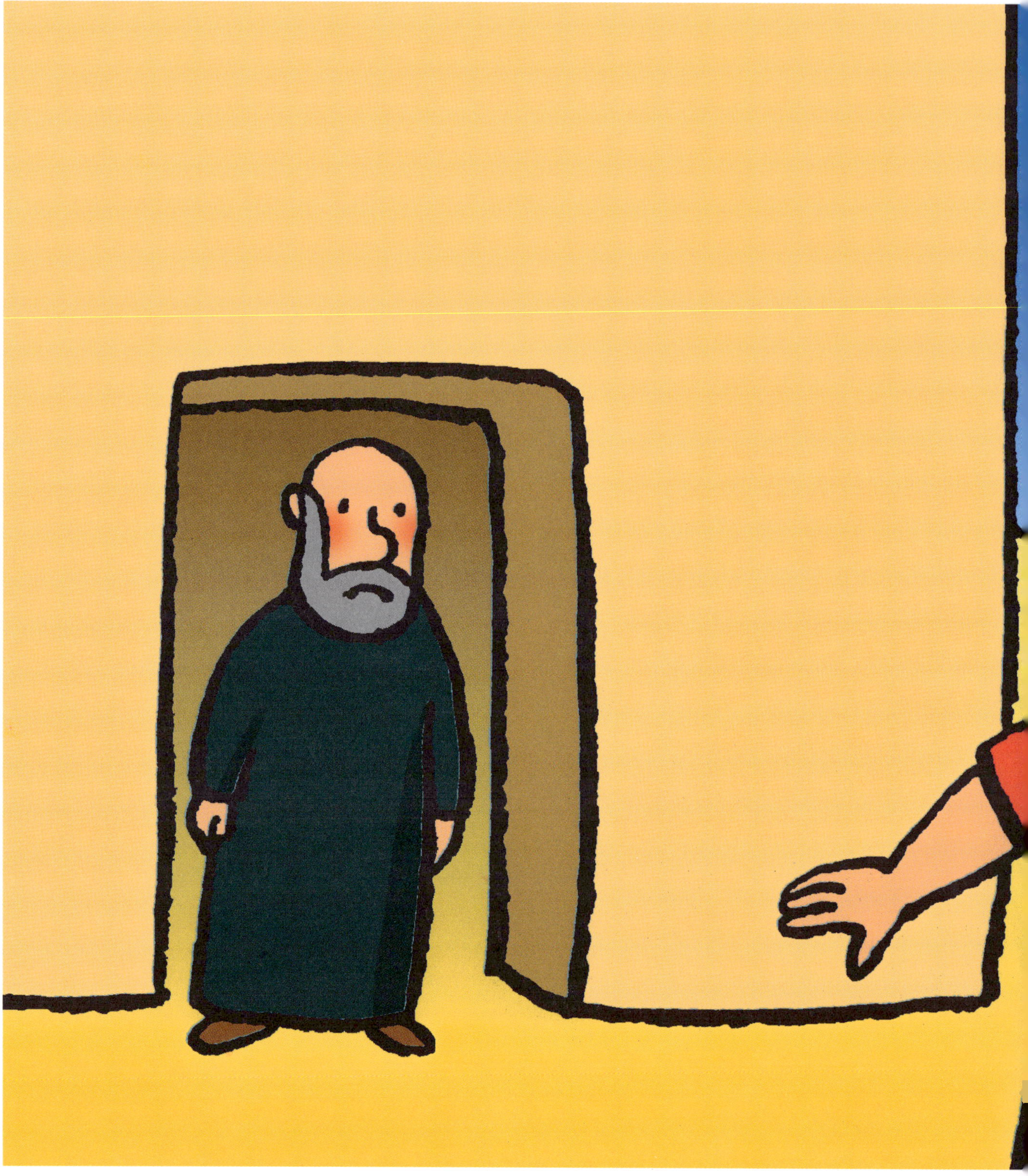

Der jüngere Sohn eilt mit dem Geld davon in ein fernes Land. Er will etwas vom Leben haben.

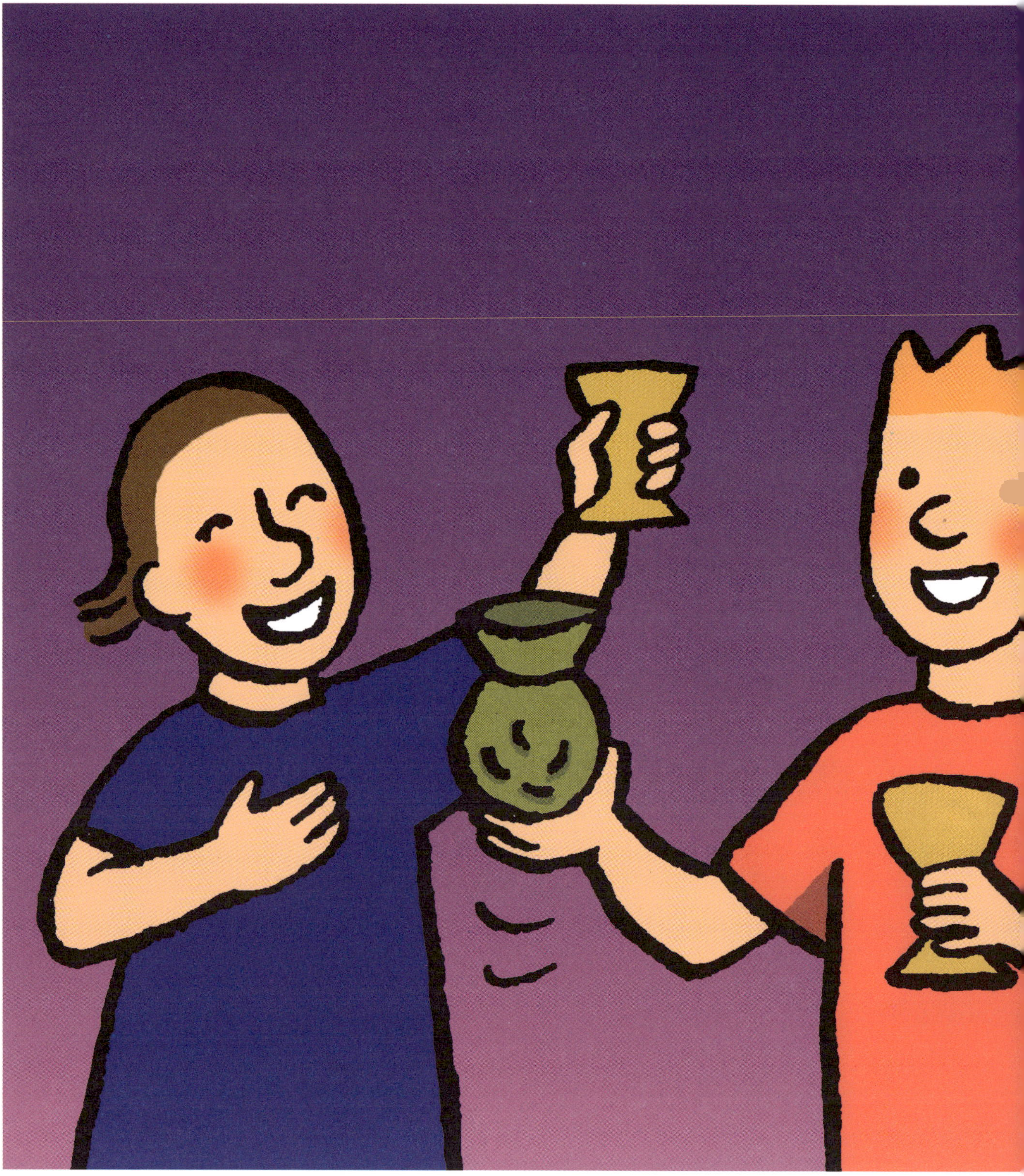

Er will Freunde haben und verschleudert mit ihnen sein ganzes Geld. Doch sie sind keine echten Freunde. Sie sehen nur sein Geld und lassen sich von ihm alles bezahlen.

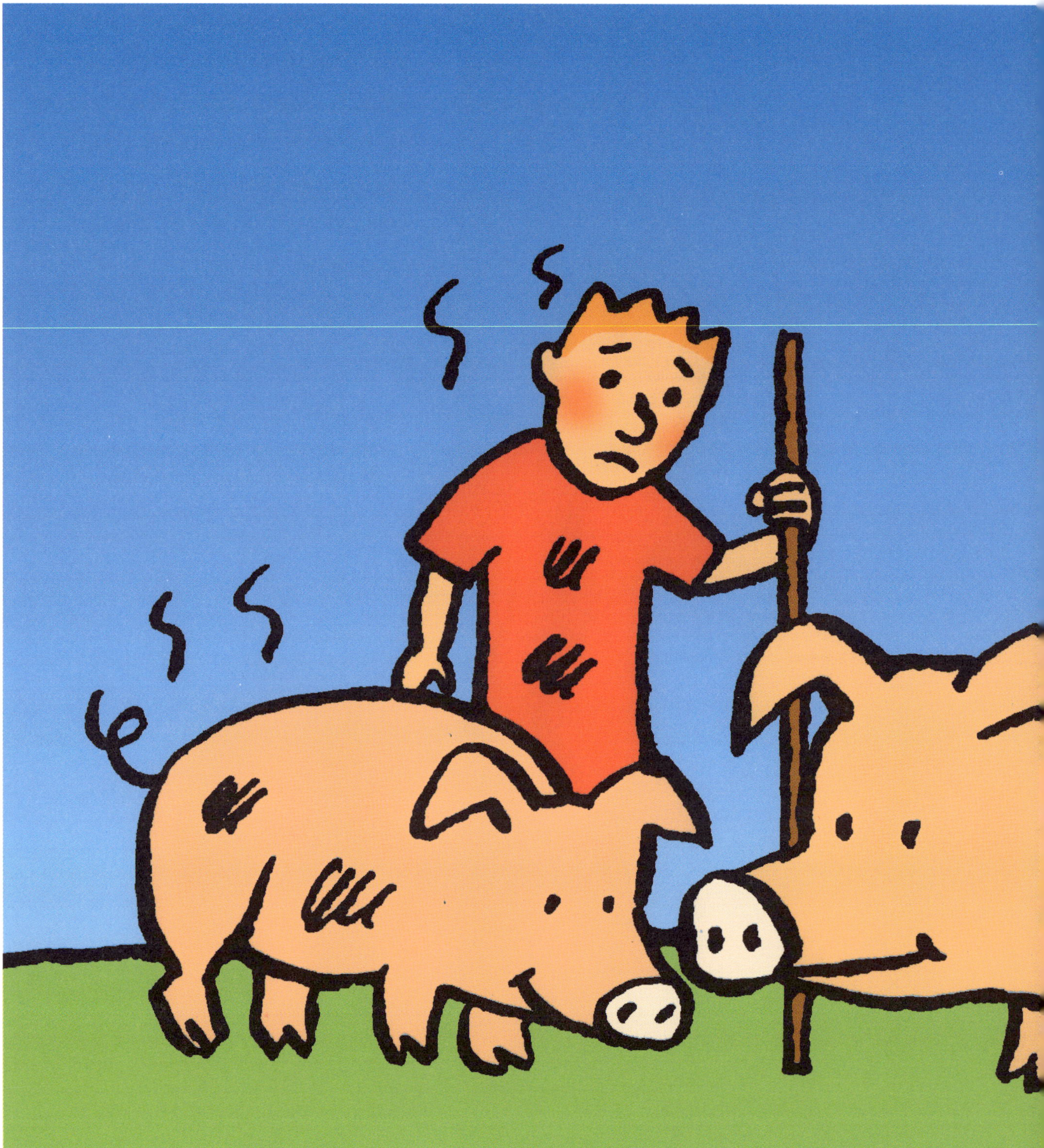

Sein Geld ist schnell verbraucht. Eine Hungersnot kommt über das Land. Nun ist er bettelarm und muss als Schweinehirt arbeiten. Er hat großen Hunger. Er überlegt: Was kann ich tun?

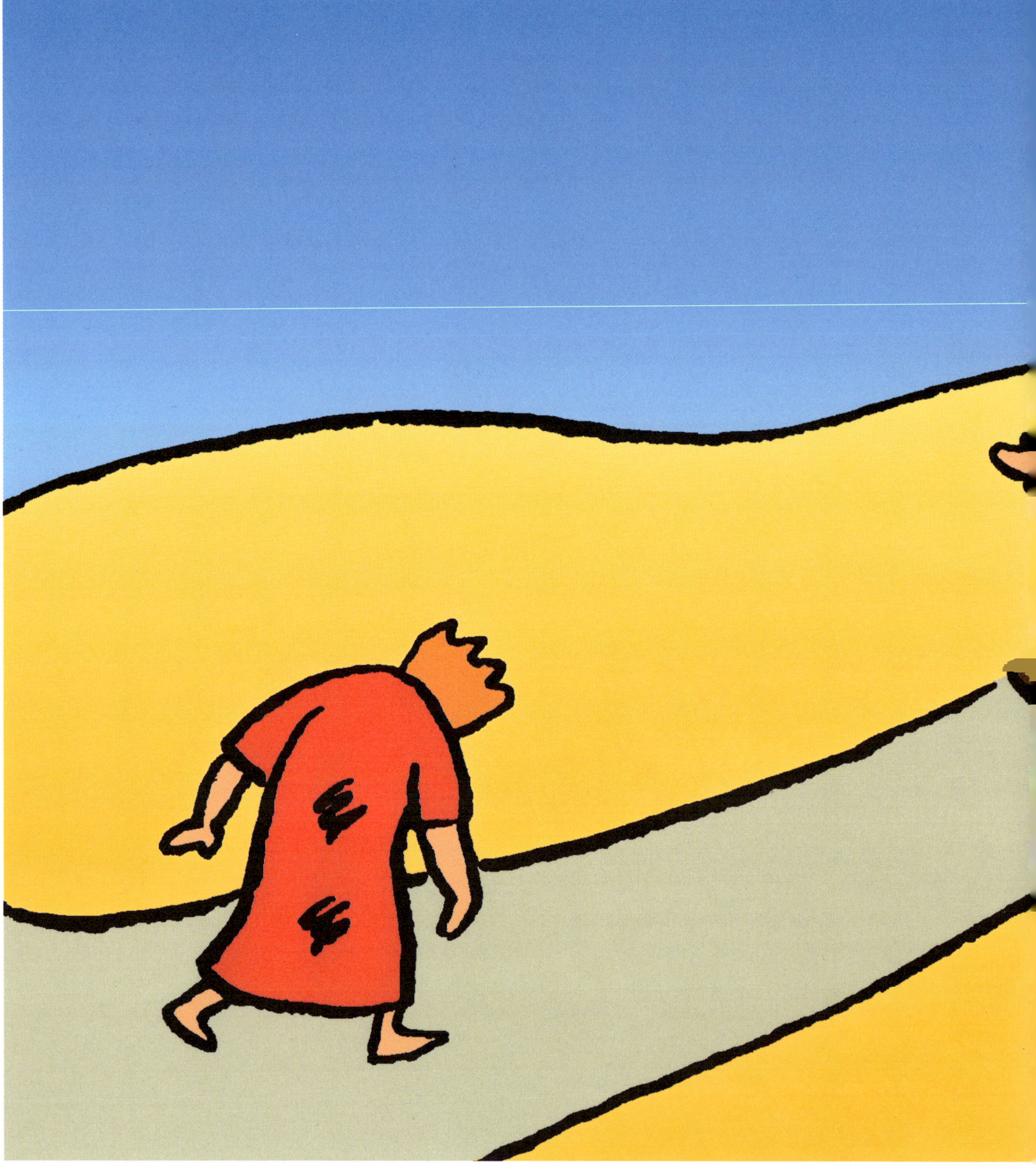

Er kehrt zu seinem Vater zurück. Und sieh: Sein Vater läuft ihm mit offenen Armen entgegen und ist sehr froh.

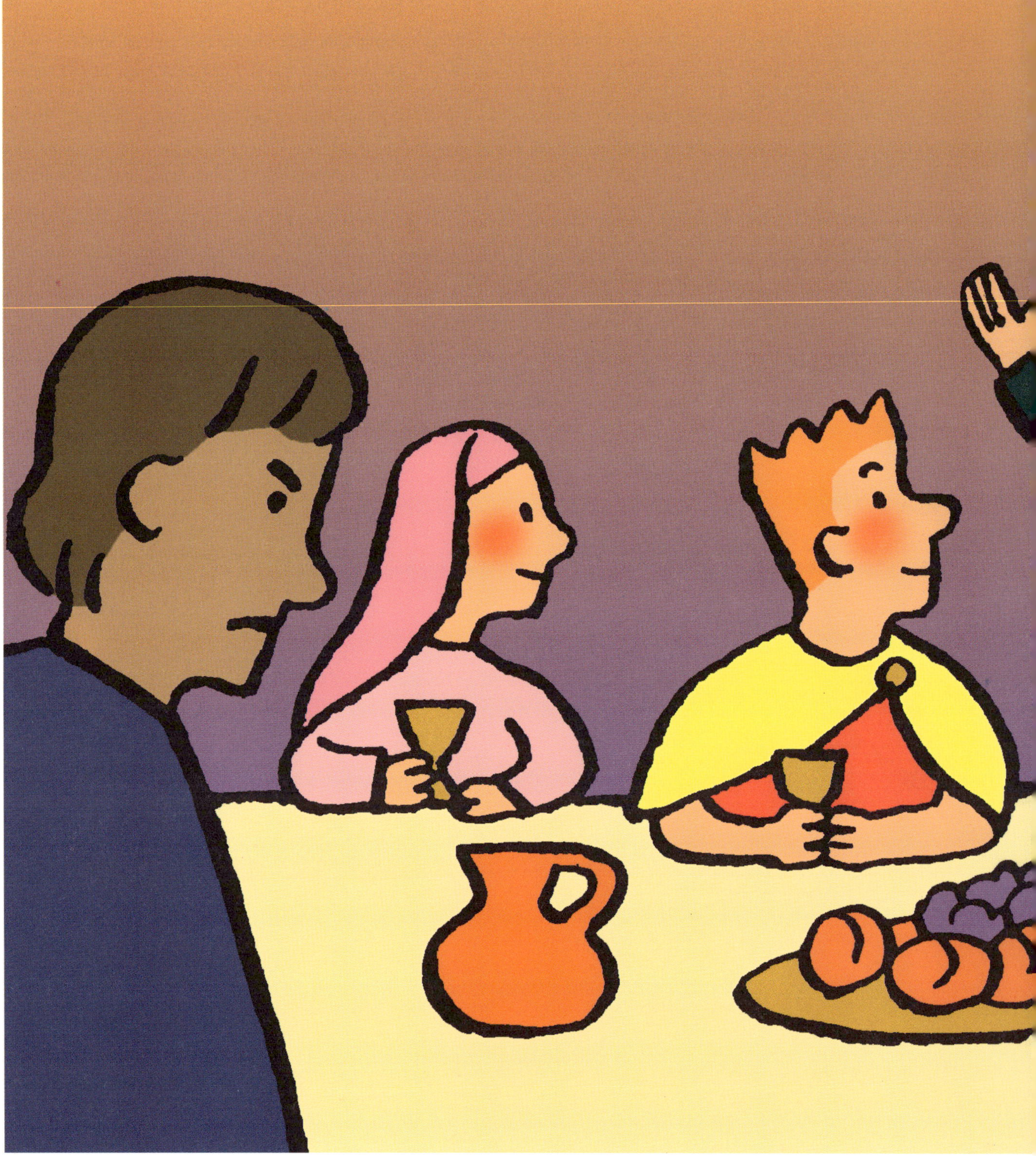

Sie feiern zusammen ein großes Fest und freuen sich über seine Heimkehr. Nur sein älterer Bruder kann sich nicht so recht freuen. Er hat alles, trotzdem fühlt er sich gegenüber seinem Bruder zurückgesetzt.

Offene Augen haben

Wer mit offenen Augen durchs Leben geht, sieht die anderen Menschen und merkt, was sie brauchen. Gott will, dass wir Menschen füreinander da sind.

Ein Mann geht von Jerusalem nach Jericho. Es ist ein einsamer, gefährlicher Weg.

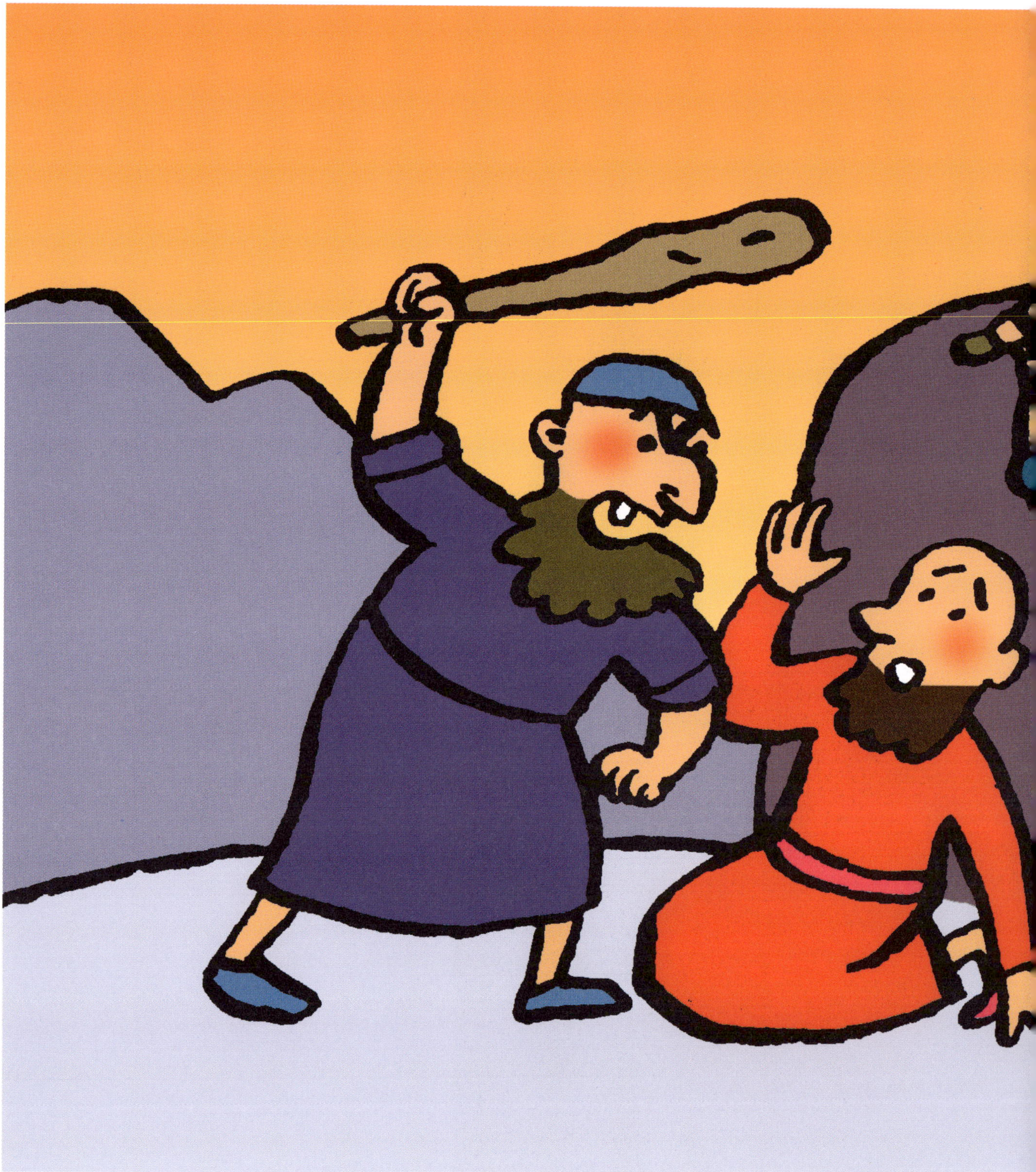

Er wird von Räubern überfallen.
Sie schlagen ihn halbtot und
lassen ihn liegen.

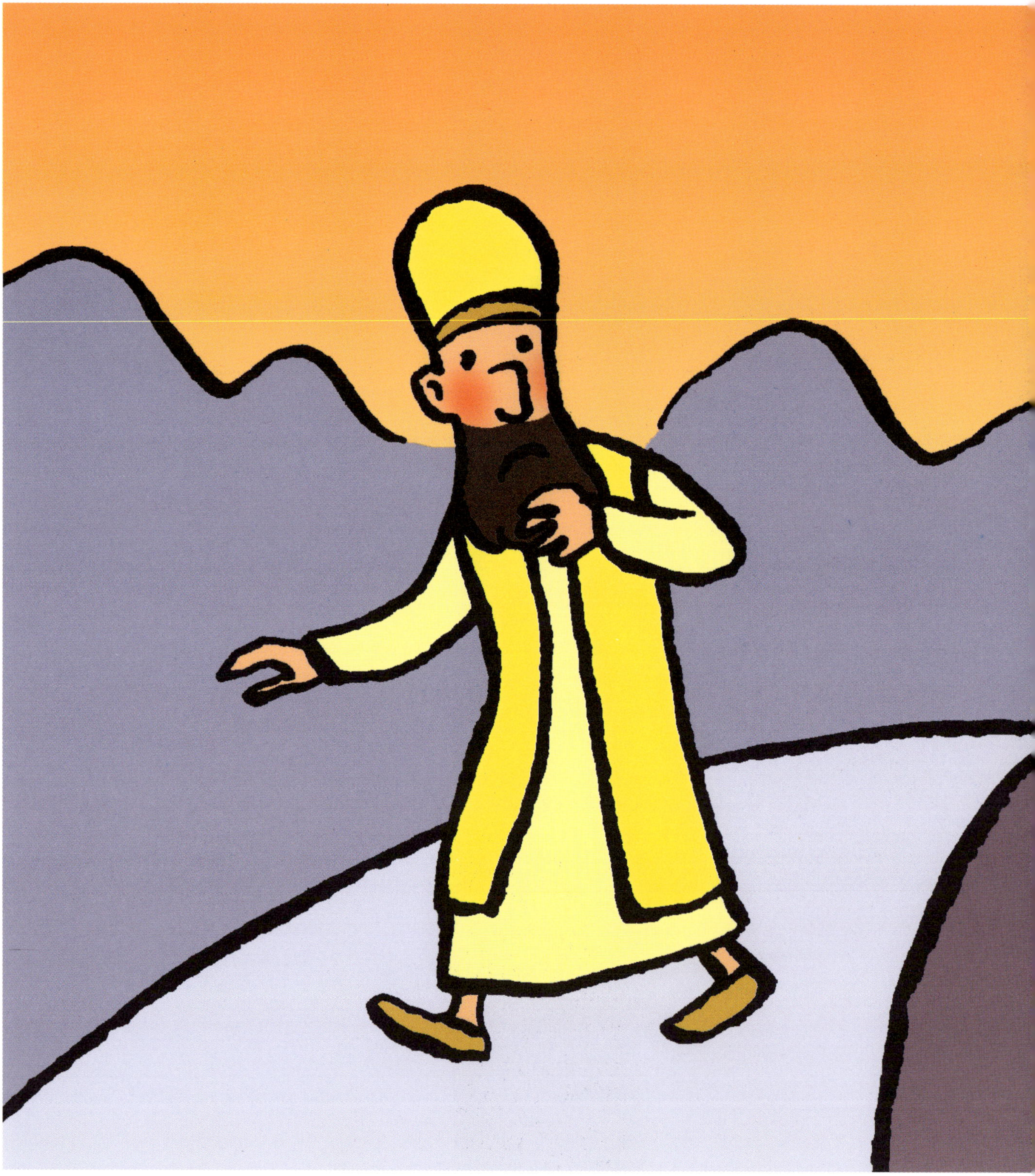

Ein Priester aus dem Tempel in Jerusalem kommt vorbei und geht vorüber.

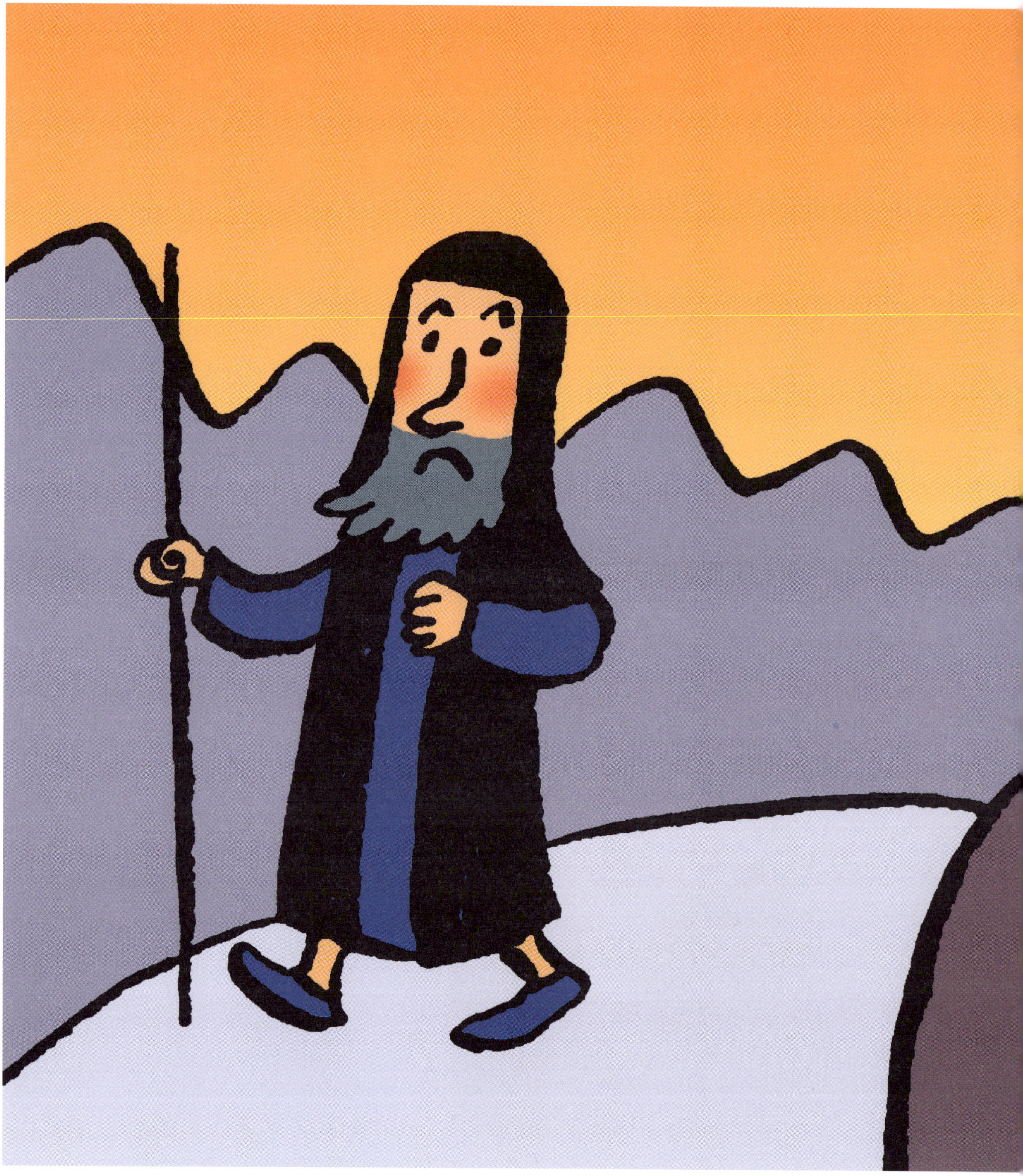

Ein anderer kommt vorüber und geht ebenfalls vorbei. Auch er kommt vom Tempel.
Er arbeitet dort.

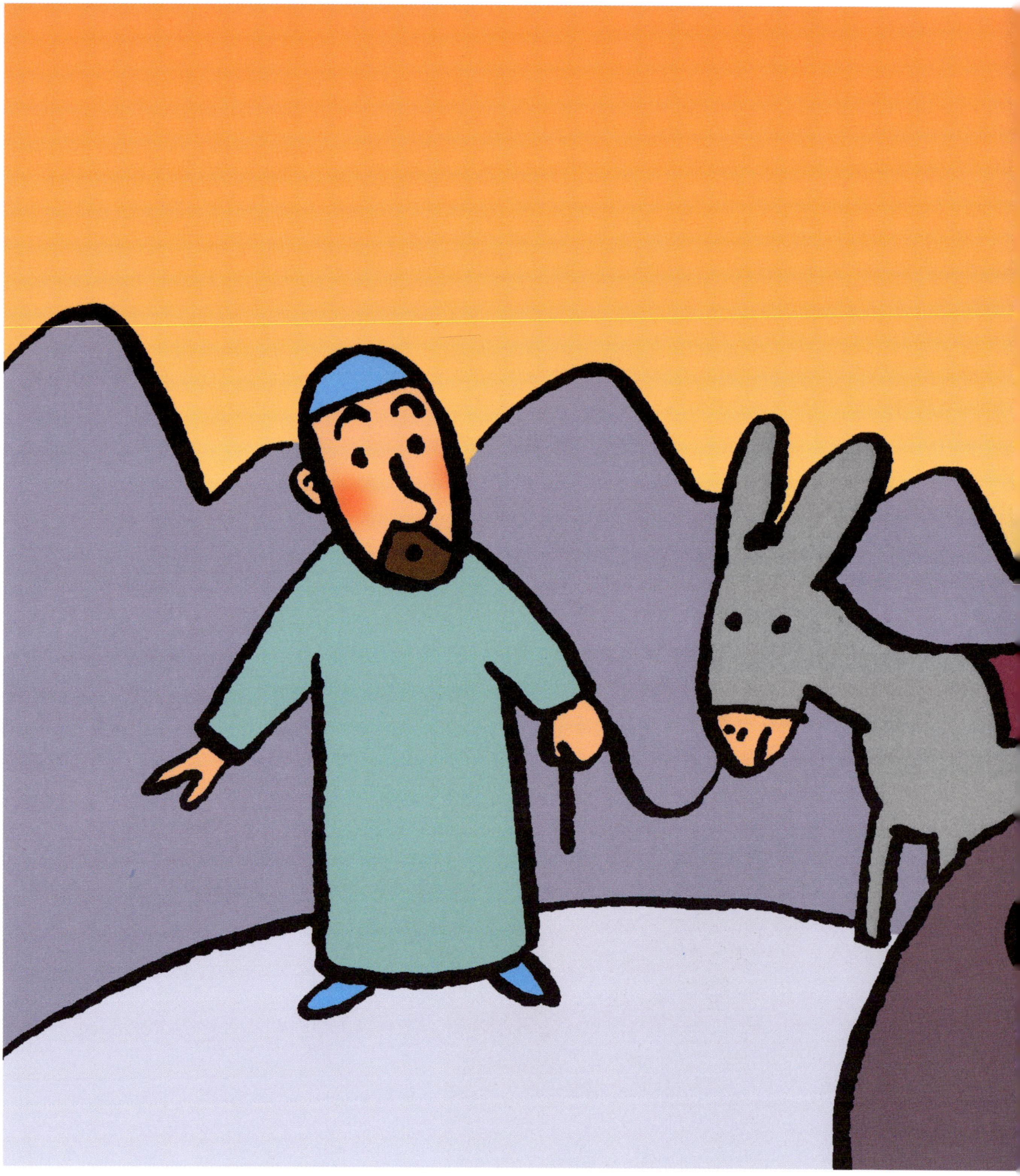

Da kommt ein Fremder. Er sieht den Überfallenen liegen. Er hat Mitleid und geht zu ihm hin.

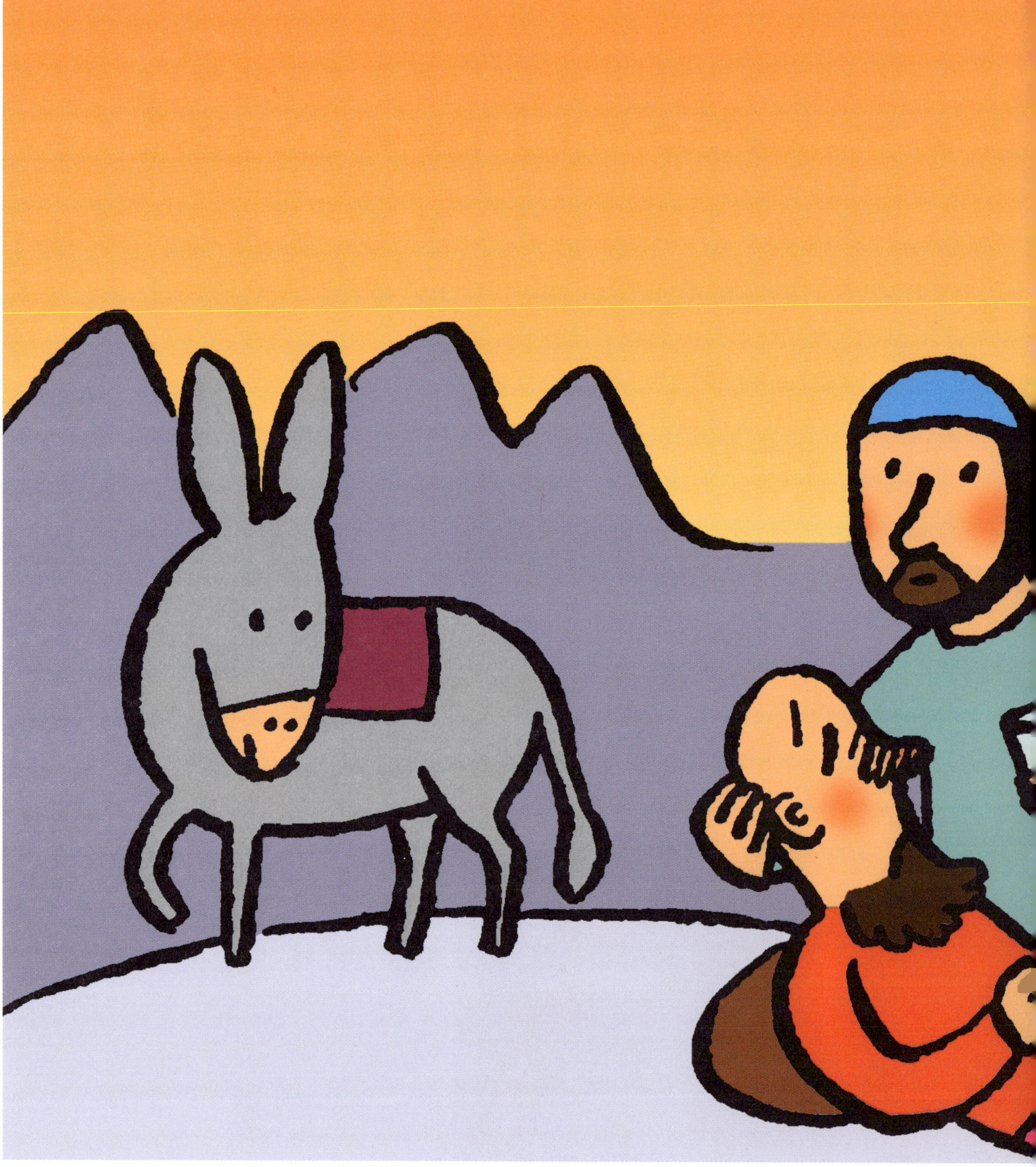

Der Fremde verbindet die Wunden, hebt ihn auf seinen Esel und bringt ihn in eine Herberge.

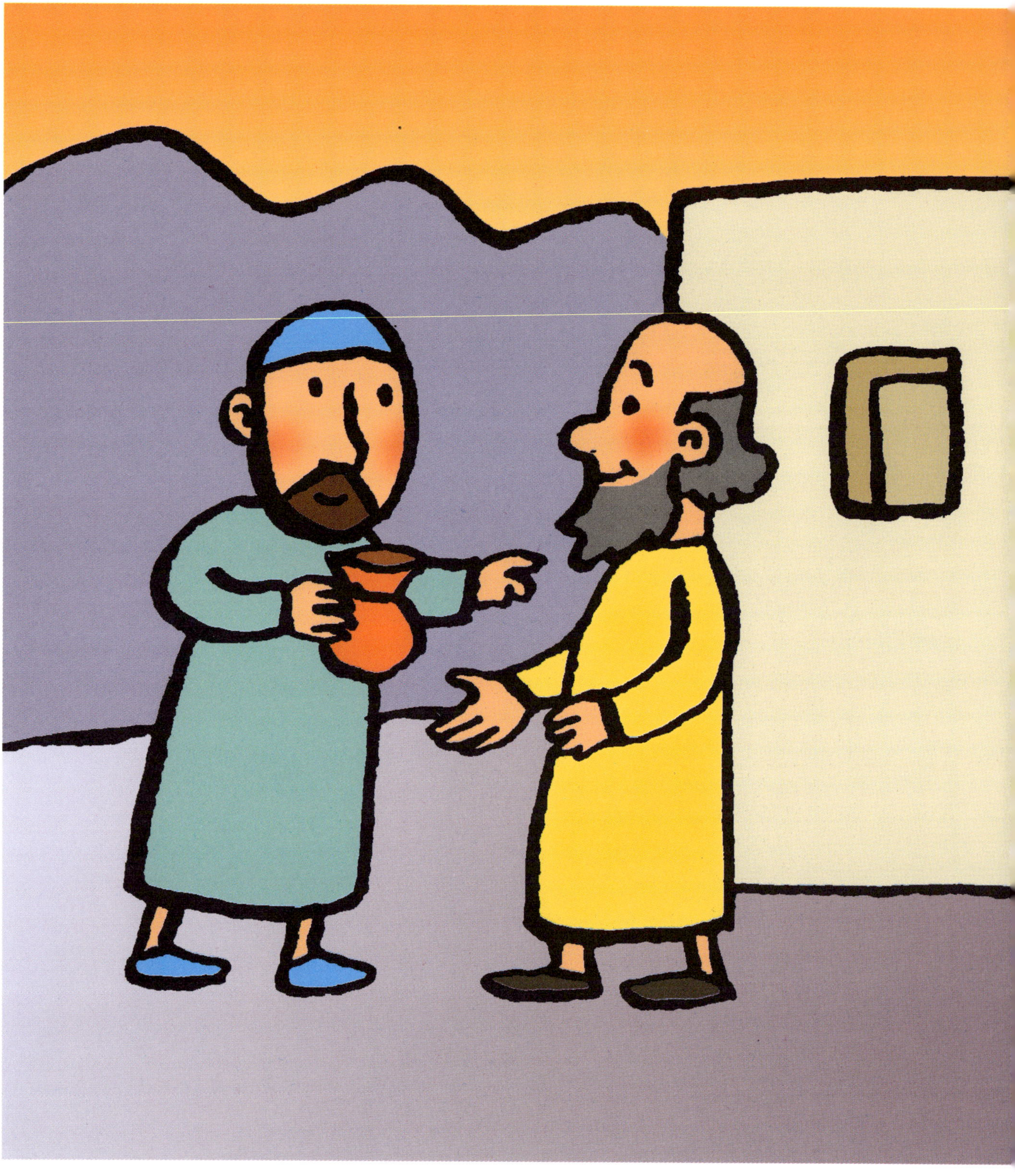

Dem Wirt sagt er: Pflege ihn gesund. Ich bezahle dir, was es kostet.

...

Jesus ist überzeugt davon: Gott liebt alle Menschen ohne Ausnahme. Das sollen alle wissen. Es ist wichtig nicht nur für die Leute in Galiläa, sondern auch für alle in Jerusalem, ja überall auf der Erde. Wenn Gott bei den Menschen im Mittelpunkt steht, dann gelingt das Leben.
Aber nicht alle sehen das so. Es gibt Leute, die stellen sich lieber selbst in die Mitte. Das erfährt auch Jesus.
Er wird von den einen umjubelt, von den andern angefeindet.
Er wird getötet, weil er sich selbst und seiner Botschaft von Gott treu bleibt.
Hat er umsonst gelebt?
Das kann einfach nicht sein.

...

Jesus schenkt sein Leben

In Jerusalem passiert es: Die einen umjubeln Jesus wie einen König, die andern verraten ihn und bringen ihn zu Tode. Jesus weiß, was ihm bevorsteht. Er setzt sich mit seinen Freunden an den Tisch, teilt Brot und Wein mit ihnen und sagt: Ich schenke mein Leben, damit andere leben können wie ich.

Jesus zieht auf einem Esel in Jerusalem ein. Die Leute rufen: Hosanna, der König von Israel.

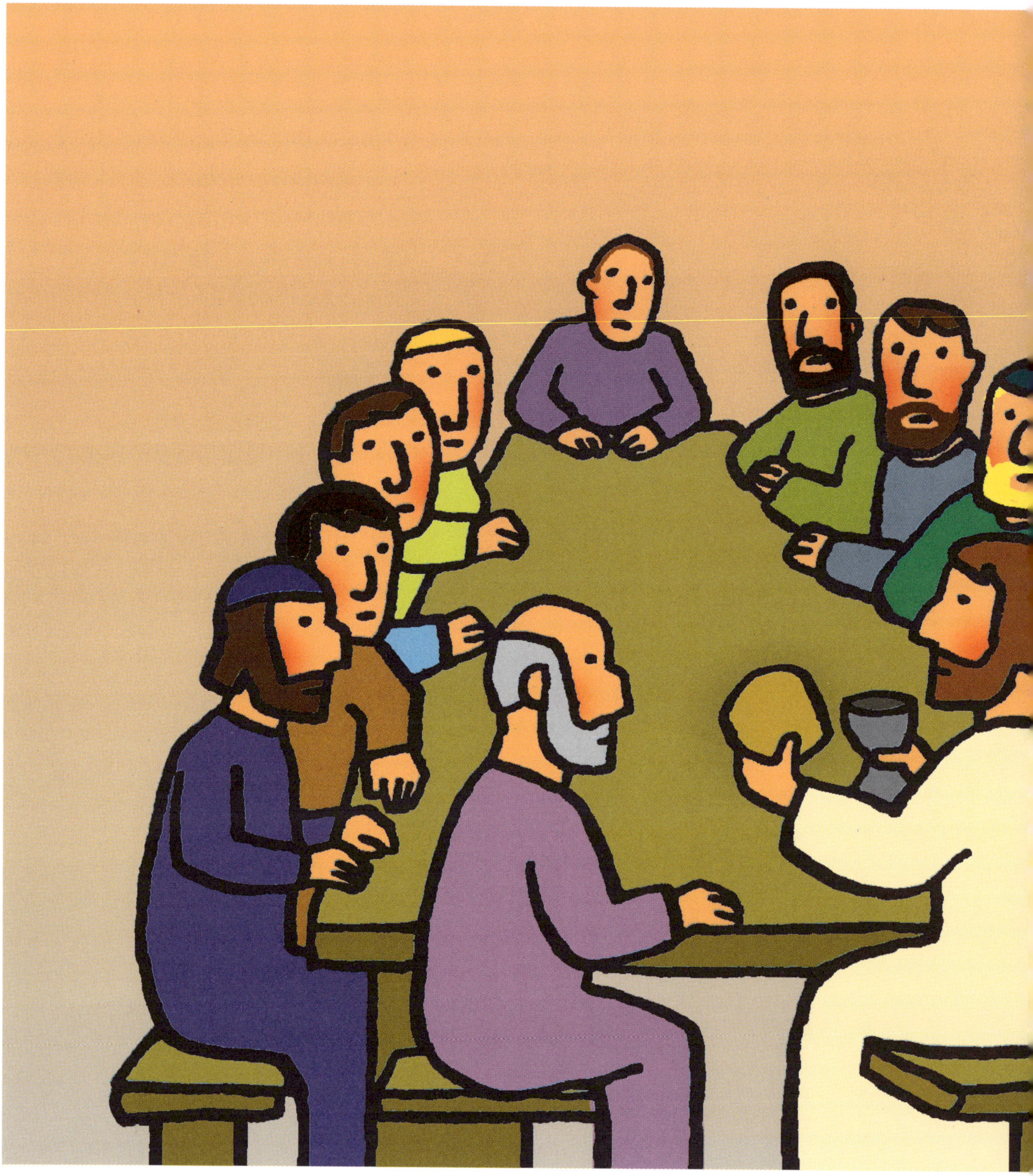

Jesus feiert mit seinen Jüngern ein Abschiedsmahl. Er teilt Brot und Wein mit ihnen und sagt: So gebe ich mein Leben für euch und alle anderen.

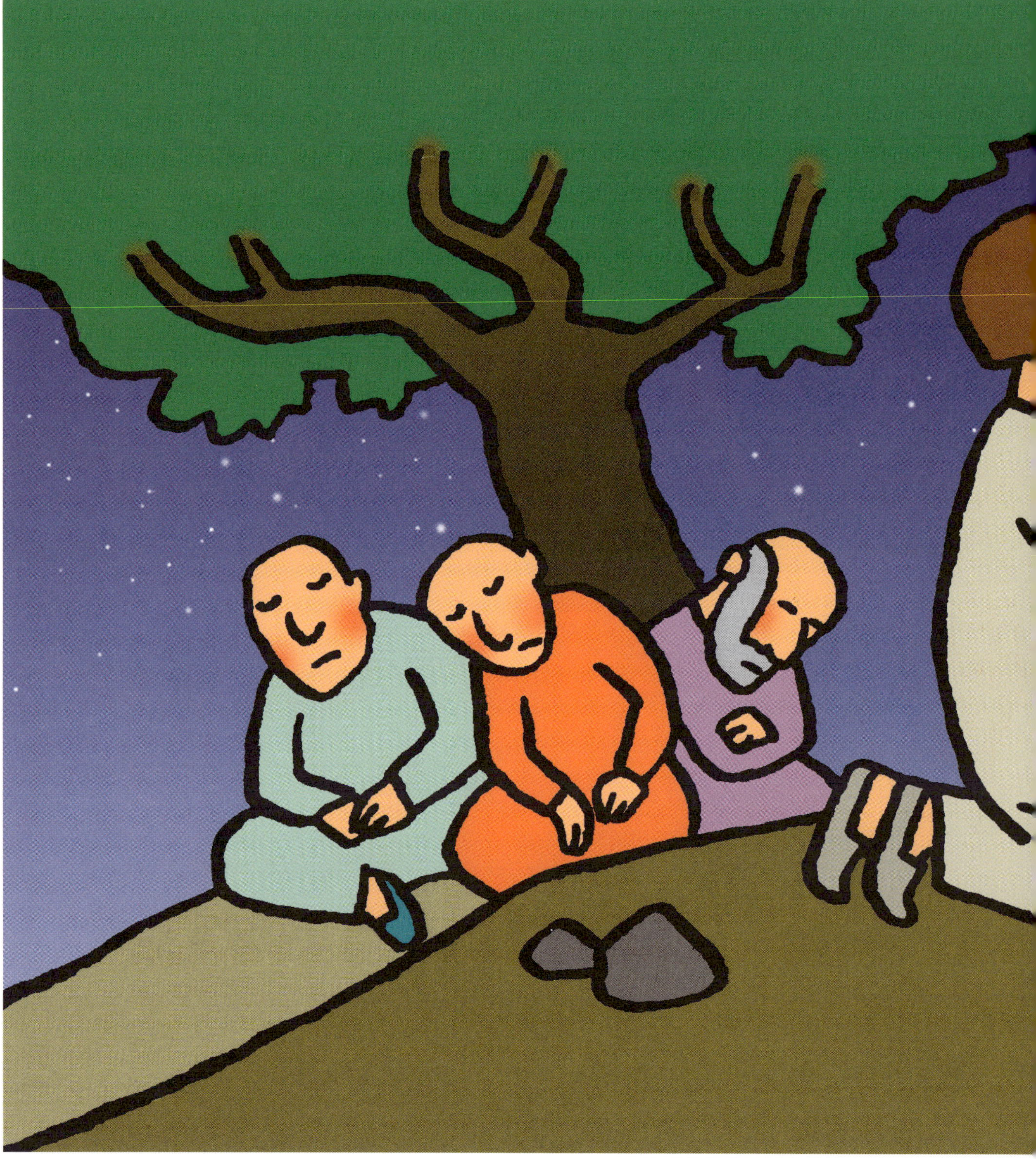

Jesus hat Todesangst und betet zu Gott. Er ruft: Warum muss ich sterben? Die Jünger aber schlafen.

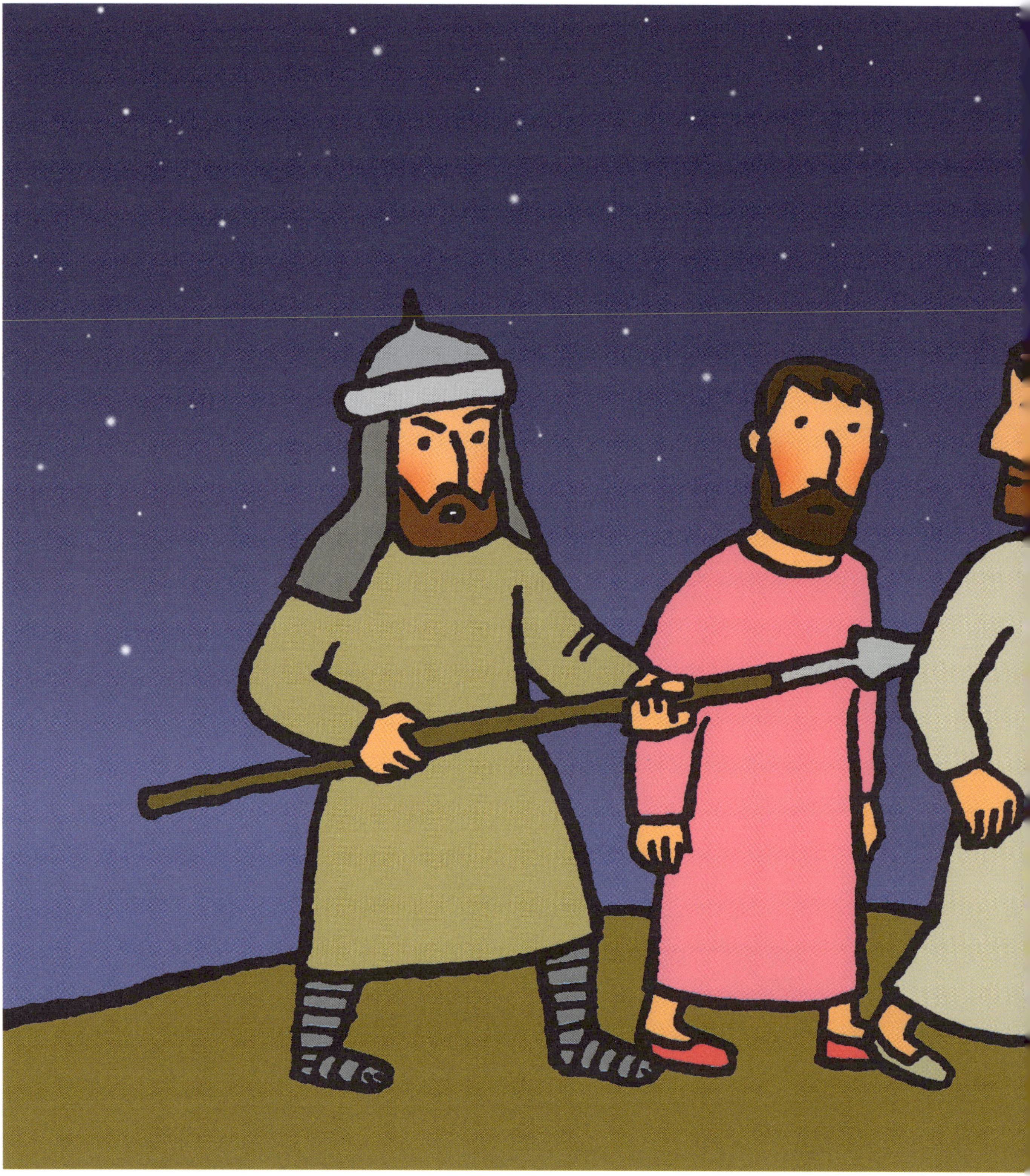

Judas, einer der Jünger, verrät Jesus. Soldaten nehmen ihn gefangen und führen ihn ab.

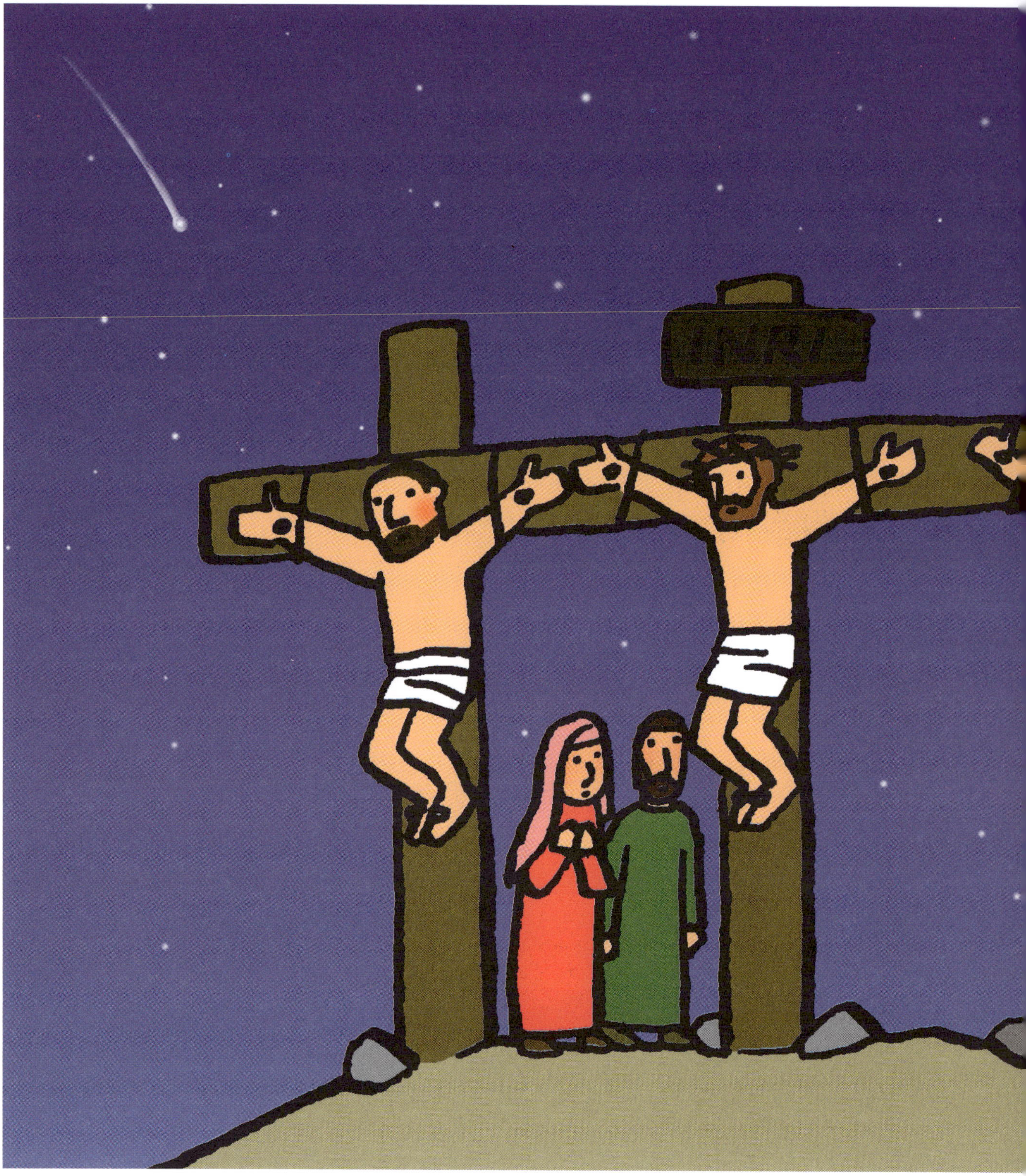
INRI

Sie kreuzigen Jesus, zusammen mit zwei Verbrechern.
Maria und Johannes stehen am Kreuz und können nicht helfen.
Jesus stirbt.

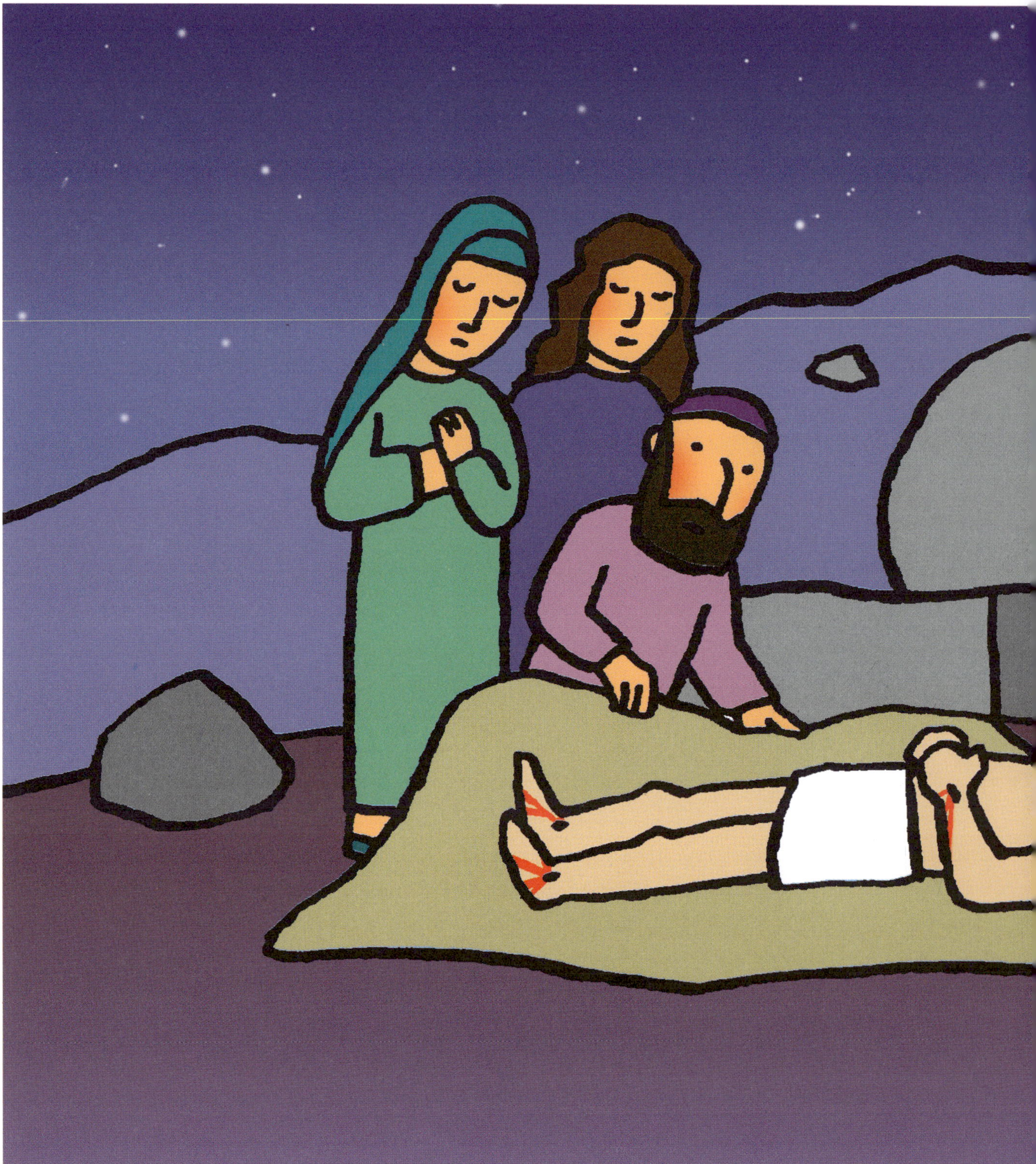

Ein Freund von Jesus wickelt den Leichnam in ein Tuch. Er legt ihn in eine Grabkammer und rollt einen Stein vor den Eingang.

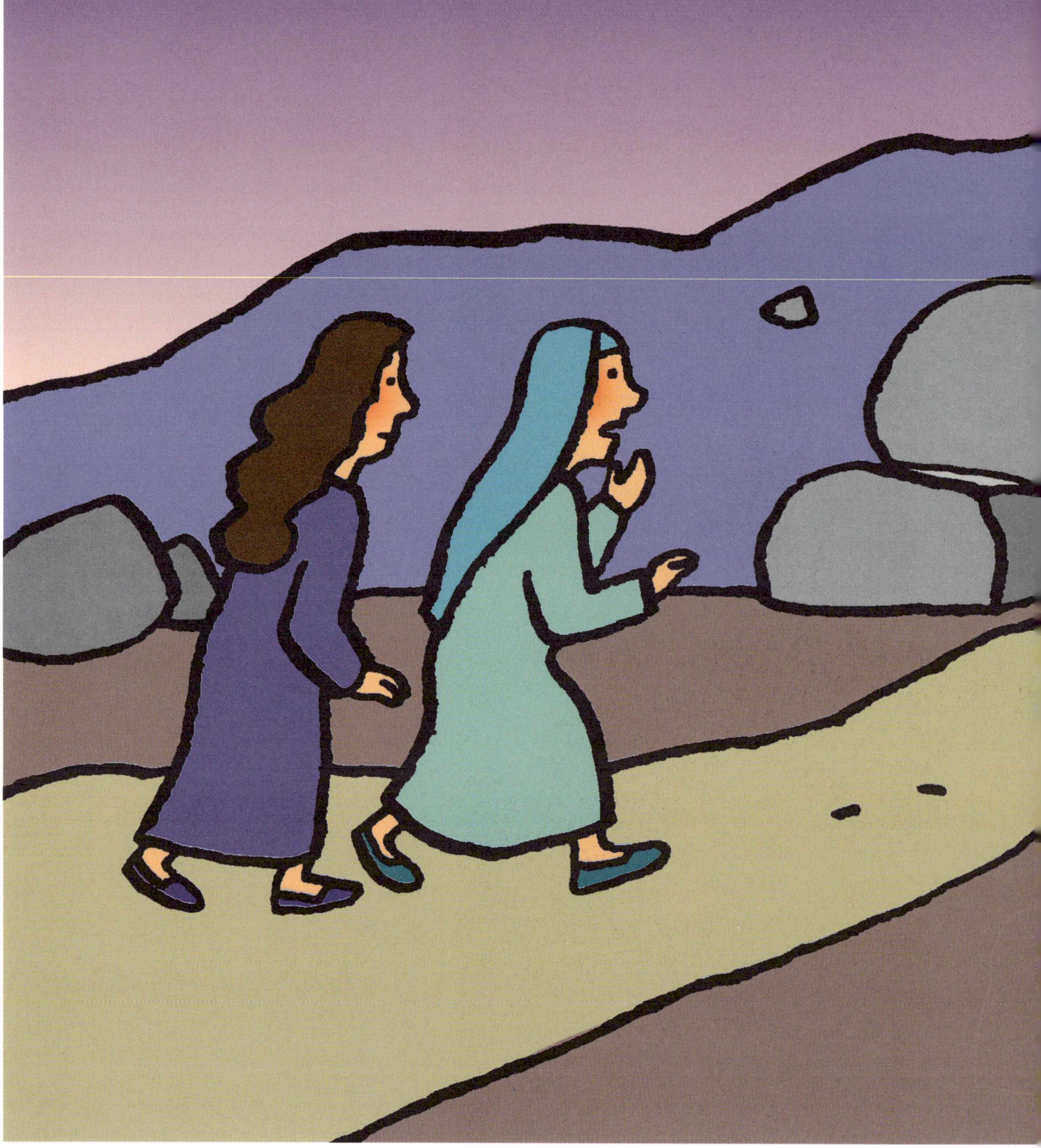

Zwei Frauen kommen zwei Tage später zum Grab. Es ist geöffnet und leer. Ein Engel sagt zu ihnen: Jesus lebt. Er ist auferstanden. Sie verstehen es nicht.

Jesus lebt

Keiner versteht es. Man kann es kaum glauben: Jesus ist auferstanden. Er lebt. Er lebt anders als vorher, aber nicht weniger wirklich. Er führt Menschen zueinander. Er gibt ihnen Hoffnung und Freude ins Herz, eine Hoffnung, die nicht zerbricht.

Zwei Jünger verlassen Jerusalem. Sie sind unterwegs nach Emmaus. Sie sind verzweifelt und ratlos, weil Jesus tot ist.

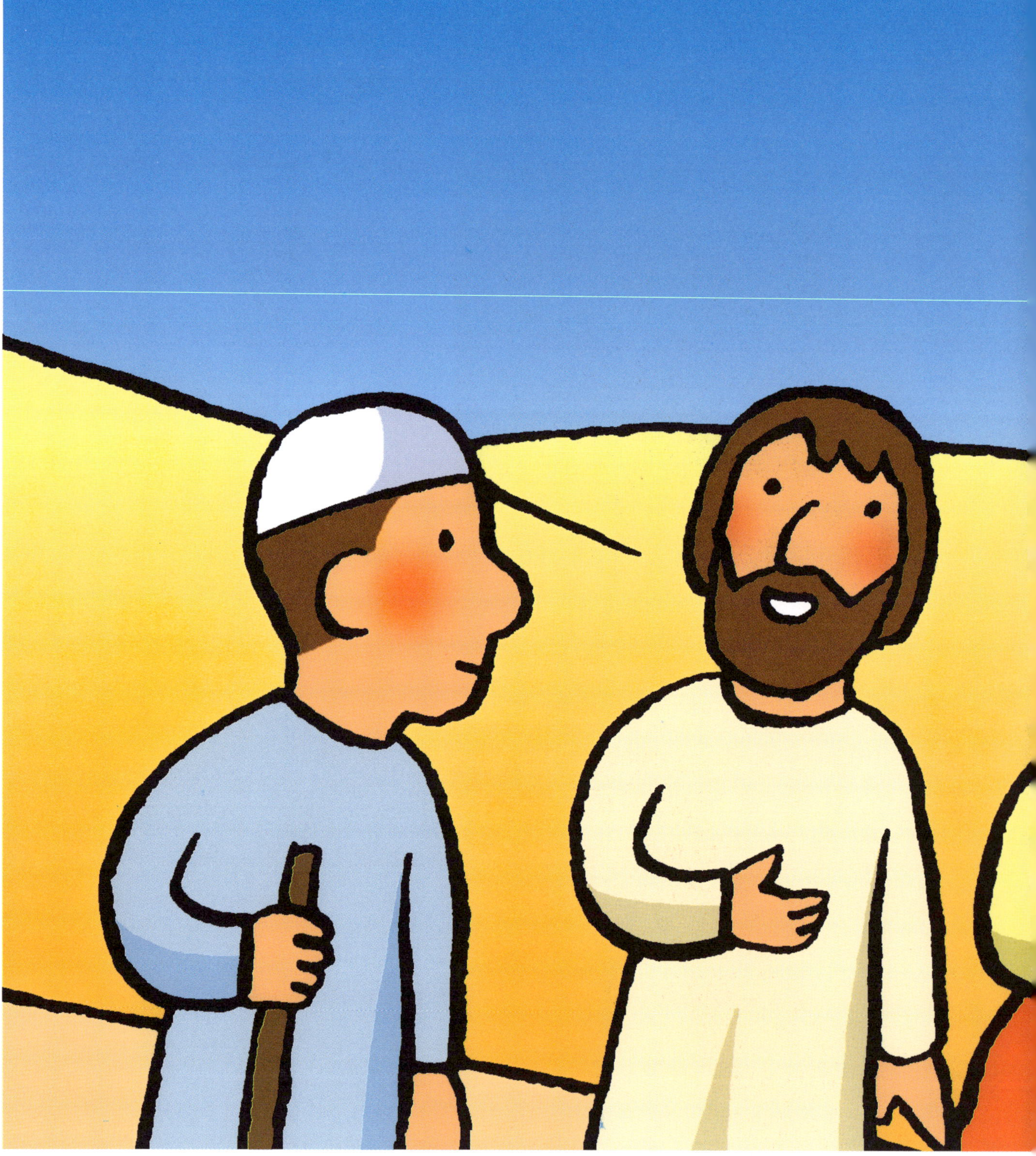

Da begegnet ihnen ein Fremder auf dem Weg. Er spricht mit ihnen über das, was mit Jesus geschehen ist.

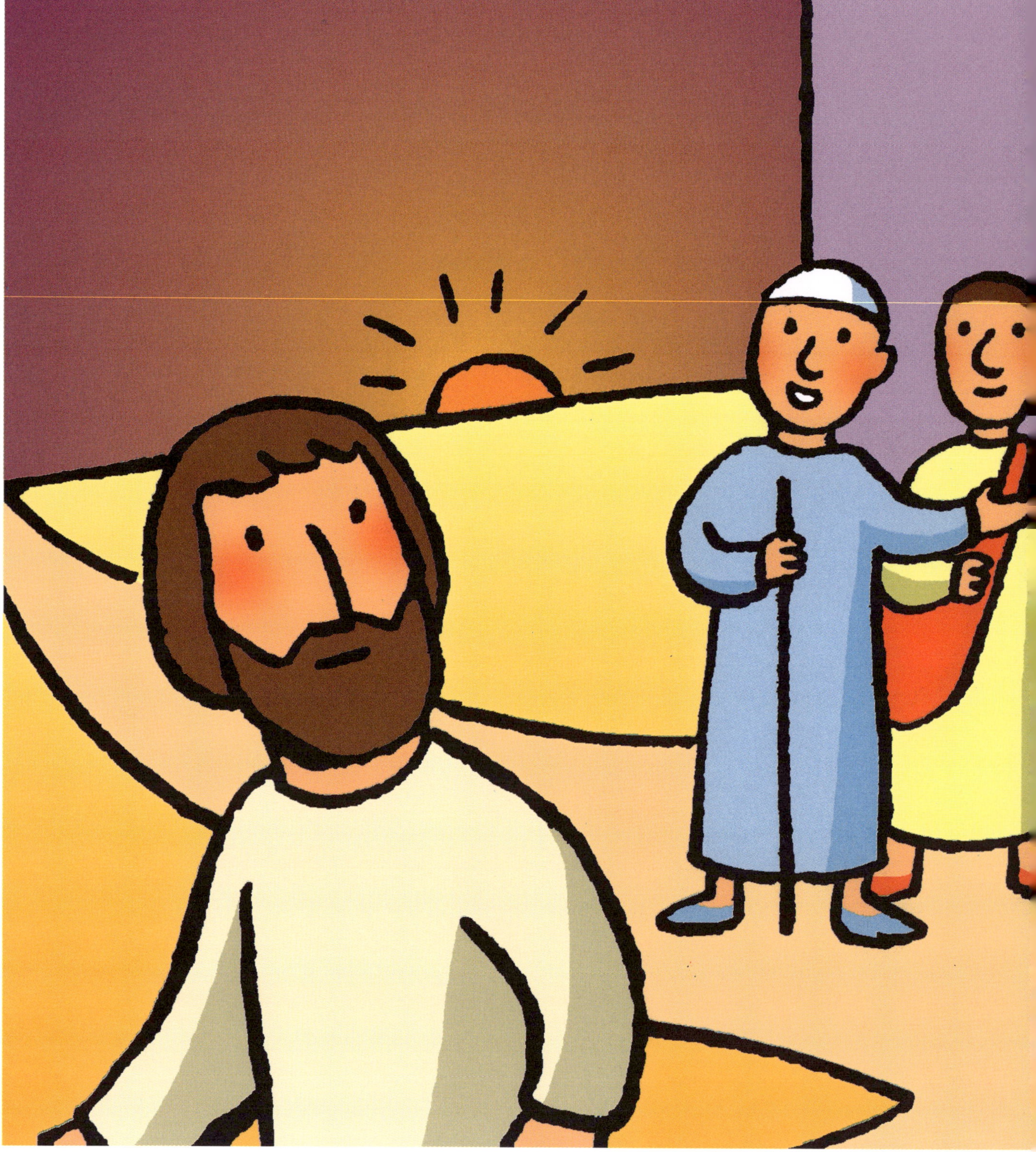

Sie kommen nach Emmaus.
Der Fremde will weitergehen.
Da laden ihn die beiden Jünger
in ihr Haus ein.

Beim Essen teilt der Fremde das Brot mit ihnen. Da spüren sie: Es ist Jesus. Er bricht mit uns das Brot wie beim gemeinsamen Mahl vor seinem Tod.

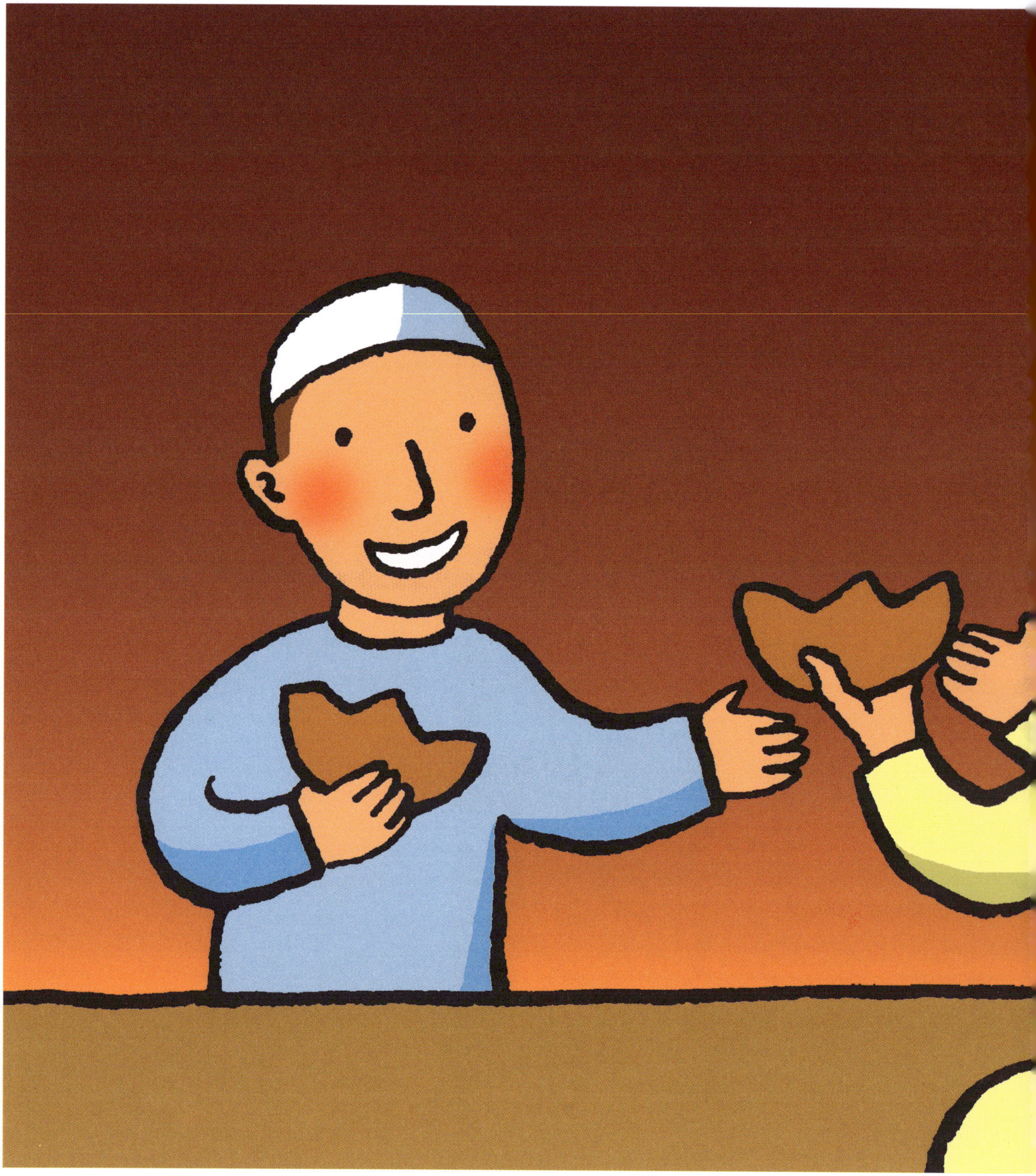

Sie freuen sich sehr darüber.
Da sehen sie Jesus nicht mehr.
Sie sagen: Das müssen wir den
andern Jüngern erzählen.

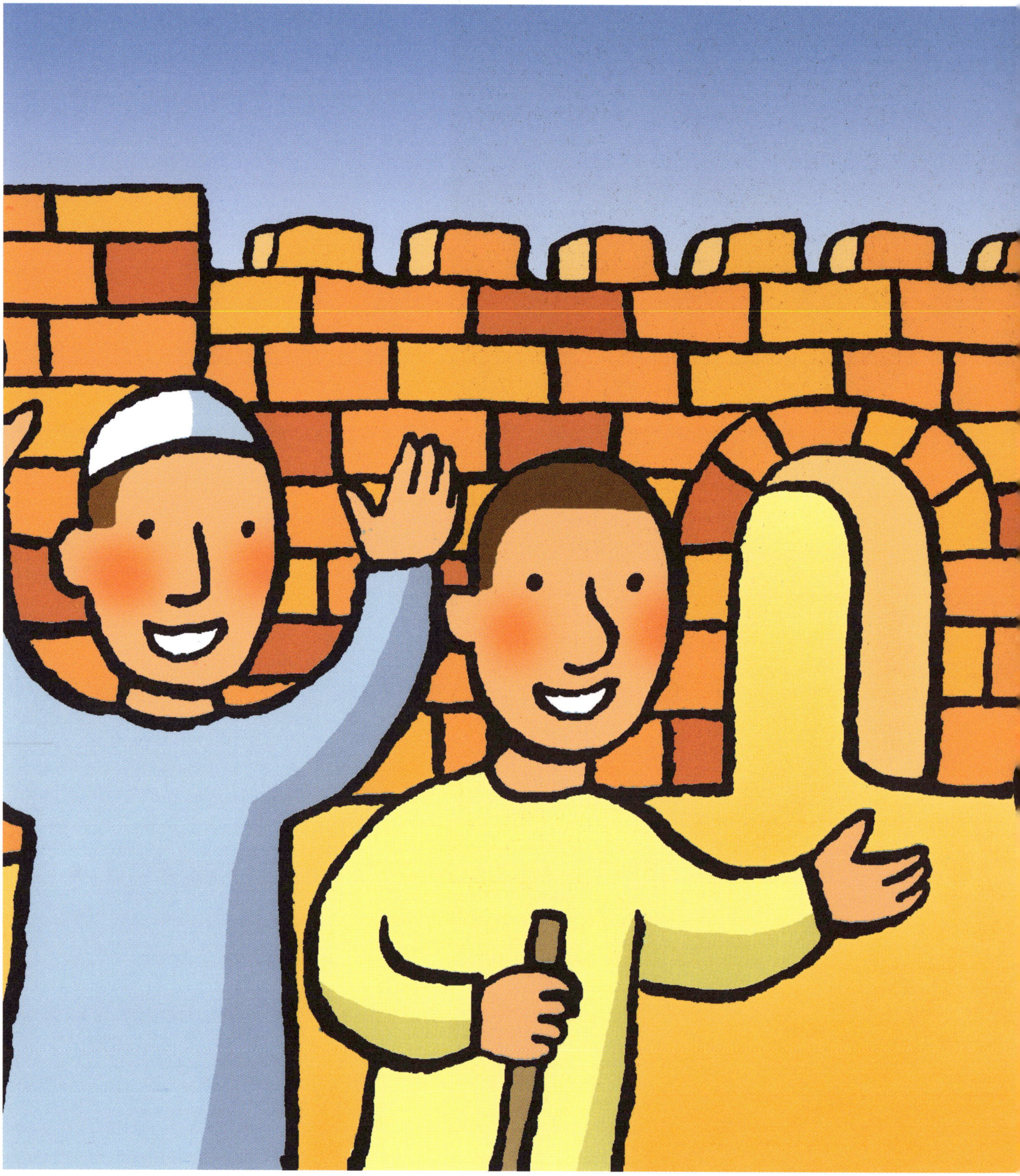

Sie kommen nach Jerusalem zurück und sagen den andern: Jesus lebt. Er hat das Brot mit uns geteilt. Wir haben ihn erkannt.
Die gute Botschaft von Jesus breitet sich weiter und weiter aus.

Die Deutsche Bibliothek – CIP-Einheitsaufnahme

Ein Titeldatensatz für diese Publikation ist bei
Der Deutschen Bibliothek erhältlich.

Illustration: Gaëtan Evrard und Véronique Grobet
nach einer Idee von Hedwig Berghmans
© NV Uitgeverij Altiora Averbode, 1999

ISBN 3-460-24400-3 (Verlag Katholisches Bibelwerk)
ISBN 3-7797-0376-9 (Verlag Junge Gemeinde)

Alle Rechte vorbehalten
© 2001 Verlag Katholisches Bibelwerk GmbH, Stuttgart
Text: Wolfgang Hein und Peter Hitzelberger, Stuttgart
Gesamtherstellung: Before s.r.l., San Benedetto Tr., Italien